JN106601

ハンディ版

精神科医 和田秀樹

感情的にならない気持ちの整理術

Discover

なぜ他人に
振り回されて
しまうのか？
先輩〜！
タタタ
先輩って
エクセルの達人
ですよね！
この資料お願い
できますか？
どっさり
えっ！

あ〜…
うん…
自分で
やれよ〜…
その夜
新しい店が
できたから
みんなで
行こうよ

先輩も
行きます
よね！
あ〜…
うん…
本当は買い物に
行きたかったのに…
キーコ
キーコ
思い出したら
だんだん
腹が立ってきた…
みんな勝手よ！
でも私って
断れないんだよな…
ハァ

「どう思われるか」ばかり気にしていませんか？

なぜか周囲の人に振り回されてしまう。相手に合わせているばかりで、自分のことを後回しにしてしまう……。

このマンガに登場する彼女のような人に共通することがあります。

「仲間はずれになりたくない」「嫌われたくない」という思いが強すぎて、しぶしぶ周囲の人の顔色をうかがってしまうということです。

相手の顔色をうかがい、相手からどう思われるかを気にしすぎると、自分の感情を裏切る機会が多くなります。結果として、いつも不機嫌に過ごすことになってしまうわけです。

大切なことは、自分の感情に素直になることです。ときには周囲の期待にきっぱりと「NO」と言ってもかまわないのです。

イライラする理由は自分にあった？
山田のやつ〜！遅いなぁ〜！
○○駅
イラ
イラ
イラ
タン タン タン
ゴメ〜ン！待った？
じゃ行こうぜ！
カチーン
オイ！人を待たせといてその態度はないだろ！
前も遅刻しただろ！
時間にルーズだなんて社会人として失格だぞ！
というわけで山田のやつまったく礼儀を知らないんだよ！
ふーん…
でも2分遅刻しただけでしょ？僕はそれくらいじゃ腹立たないよ
えっ？
2分だよ？
待ち合わせでイライラするのは君自身に原因があるかもしれないよ
ね!!
ええ〜!?オレに原因があるってどういうこと!?
!?

自分の「性格の偏り」を自覚しよう

他人の行動を見ているとイライラしてくる、つい文句の1つも言いたくなるという彼は、自分の「常識」こそが正しいと思い込んでいるのではないでしょうか？

どんな人でも、性格に偏っている部分があります。時間に敏感な人は、ちょっとした時間の遅れが気になり、すぐにイライラしてしまいがち。

つまり、イライラする本当の原因は自分自身の性格にあるかもしれないのです。

そこで重要なのは、自分の性格の偏りを自覚することです。

自分自身の性格の偏りを自覚すれば、自分の「常識」に固執することがなくなります。結果として、相手の行動にいちいち目くじらを立てることがなくなり、不機嫌になるのを回避できるのです。

「わかってほしい」症候群のワナ
わ〜い！今日は遊園地でデートだぁ〜！
・・・
ぴょんっ
ぴょん
キャ〜！楽しい〜！
ゴー
・・・

わ〜！コレおいしい！
・・・
もぐもぐ
昨日
キミは本当に役立たずだな！
ズバ
スズミマセン…！

オレ帰る！
ガタッ
え!?
どうして？
キミだけはわかってくれると思ったのに！
ガッカリだよ！
プイッ
え〜!?
まったく！どいつもこいつも！
ゴミ
ガーンッ！

他人の心などわからなくて当然です

遊園地で突如として不機嫌を爆発させてしまった彼氏。いったいどうしたのでしょう。彼の本音はこうです。

「昨日自分は会社で怒られて不愉快な思いをした。彼女なら、この不機嫌な様子を察して、やさしい言葉をかけてしかるべきだ」

どうでしょう。彼女にしてみれば、困惑するのも当然ですよね。

言葉にしなくても以心伝心で気持ちが伝わる、何も言わずに察するのが日本人だ……などというのは、ただの幼稚な甘えでしかありません。

自分の幼稚な甘えに他人を巻き込むのはもってのほか。他人の心などそもそも理解できなくて当然。そう割り切ることが、ごきげんになるための第一歩なのです。

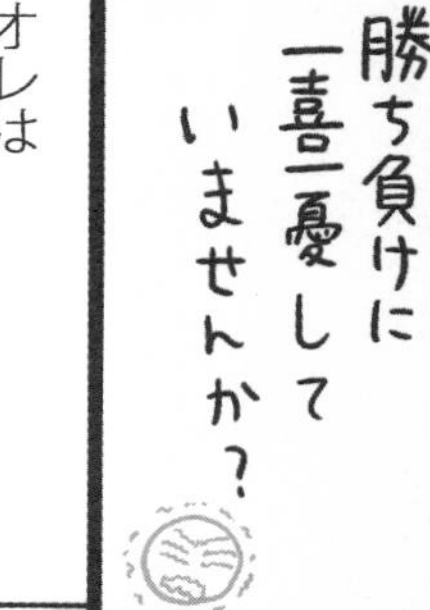
勝ち負けに
一喜一憂して
いませんか？

オレは
世の中のことすべてを
「勝ち負け」で見ている
WIN
LOSE

安物の時計だ
オレの勝ち！
フフ
ぬお～！
高級時計！
オレの負け…
ガックリ

ティロン♪
○○社に
転職したぜ！
イエーイ
ガーン
え～～っ!?
あの超一流
企業に!?!?
オレはA大学、
アイツはB大学、
昔は勝ってたのに…
なぜ負けた
～～！

勝ち負けを気にすると、不機嫌から抜け出せなくなります

どんなときでも他人と比較して、勝ち負けを争っては一喜一憂する。彼のような人は、あなたの周りにも1人はいるはずです。

すべてを勝ち負けで判断するクセがつくと、負けたときには当然不機嫌になります。かといって、いつも勝ち続けることはできませんから、勝っているときにもストレスから逃れられないのです。

結果的に、不機嫌から抜け出せなくなるのは確実です。

世間が作った勝ち負けの尺度にとらわれないでください。

幸せかどうかの基準は自分で決めるものです。自分の立場や行動を勝ち負けで判定するのをやめる。それだけで不機嫌から自分を遠ざけることができるのです。

はじめに

最近、感情をコントロールできず、不機嫌になっている人が多いような気がしませんか？

その証拠に、「感情を整える」「感情をコントロールする」「感情的にならない」テクニックを扱った書籍やセミナーは、世の中にたくさんあふれています。

それらを見ていると、感情的になるのはよくないことであり、修行僧のように心を乱さない境地を目指すべきだと思われるかもしれません。


実をいえば、私自身どちらかというと感情的な人間です。とくに、せっかちで、ちょっとしたことでイライラする傾向があります。たしかに、感情的になりやすいのは事実ですが、感情に振り回されて失敗することは少ないように思います。


その秘訣はいくつかあります。

たとえば1つめは、「自分が他の人よりもせっかちである」と自覚していることです。自分の性格の偏りを認めることで、怒りをセーブすることができました。

2つめは、自分の考えを絶対視せず、他の可能性も認めることです。正しさにこだわるのをやめればストレスがなくなります。

3つめは、結果を重視することです。結果的に自分の得になればいい。そう思っているので、ときには人に頭を下げることも厭わないのです。

このように、大切なのは感情をなくすことではありません。人間ですから、ときには不機嫌になることもあります。あくまでもポイントは、自分の感情に振り回されないようにすることなのです。

とはいえ、できれば不機嫌でいるよりも、ごきげんな時間が多いほうがいいですよね。不機嫌が続くと人の免疫機能は低下し、医学的にも病気になりやすいことがわかっています。逆にごきげんになれば免疫機能も上がり、健康的な生活を送ることができます。

そこで本書では、不機嫌・ストレスを消すテクニックに加え、ごきげんになるためのテクニックについても、ふんだんにご紹介しています。どれも明日からとはいわず、今すぐに実践できることばかりです。

私はこれまで精神科医の立場から、感情に振り回されず、仕事や人間関係がうまくいくための方法論を、いくつかの著作を通じて提案してきました。

本書では、これらのエッセンスを豊富な図解とともにわかりやすくまとめました。いわば、和田式感情整理術の「ベスト版」ともいうべき仕上がりになったと自負しています。

本書を読み進めるだけでも、気分が上向きになってくるのを実感できるはずです。

ぜひ、あなたの楽しい人生に役立てていただければと願っています。

和田秀樹

感情的にならない気持ちの整理術◆目次

第2章 感情的にならない考え方

第3章 やってはいけない！ストレスを増やす行動・考え方

第4章 毎日、ごきげんな自分になる

付章 今すぐ、気分が変わる！ 和田式・気持ちの整理術

第1章

心と脳のメカニズム 10の基本

POINT 5

「どう思われるか？」を気にしない

「嫌われたくない」という
気持ちを持ちすぎると、
周囲の人に引きずられて
しまいます。

➡38ページ

POINT 6

「過去は変えられない」と割り切る

過去について悩むのはやめて、
次の機会に反省を生かすように
心がけましょう。

➡42ページ

POINT 7

「不安は起こらない」と考える

たいていの不安は
実際には起こりません。
考えても仕方がないことは
考えなくてよいのです。

➡46ページ

POINT 8

マイナス感情を他人にぶつけない

人間関係には
反発の法則があります。
マイナス感情にはマイナス感情が
返ってくるだけです。

➡50ページ

POINT 9

どんな役回りも前向きに取り組む

損な役割を受けたとき
イヤな顔をすると、いつまでも
損な役回りを務めることに
なります。

➡54ページ

POINT 10

「答えは複数ある」と考える

世の中にはいろんな正しさが
あります。多様性を認める
おおらかさを持ちましょう。

➡58ページ

知っておきたい心と脳のメカニズム

10のポイント

人が感情を持つのは当たり前。
でも、感情を上手にコントロールしない限り、
不機嫌からは抜け出せません。

POINT 1

感情をコントロールして自制する

怒りにまかせて
暴言を吐いたりすると、
人間関係を悪化させて
しまいます。

➡22ページ

POINT 2

感情に振り回されないようにする

マイナス感情を持ったときには、
それをバネにできないかを
考えましょう。

➡26ページ

POINT 3

不機嫌な顔をしていないか

不機嫌が表情に出やすい人は、
自分の感情を確認する習慣を
つけましょう。

➡30ページ

POINT 4

「自分は満たされている」という実感を持つ

「満たされている」という感覚は、
不機嫌を遠ざけてくれます。

➡34ページ

心と脳の
メカニズム
10の基本

1

感情をコントロールしないと人生も不幸になる

★感情を表に出しているほうが好かれる。
★喜怒哀楽の感情は人を若々しくさせる。
★感情を自制できないと人間関係が悪化してしまう。

感情を表現するほうが好かれる

人間はさまざまな種類の感情を持つ生き物です。幸運な体験をして嬉しいと感じたり、不愉快な体験をして怒りを感じたりするのは当然です。

世間では、感情を表に出さず何を考えているのかわからない人よりも、感情を表に出している人のほうが好感を持たれます。

映画やドラマでも感情豊かな人物は、親しみのあるキャラクターとして描かれます。たとえば、映画『男はつらいよ』の主人公である「寅さん」は、人とケンカをして激高したり、失恋してしょんぼりしたりと、喜怒哀楽の激しい人物であり、そこが彼の魅力ともなっています。

感情を表現すること自体は悪いことではありません。とくに、喜びや嬉しさの感情を出している人はごきげんに見えます。ごきげんな人は、周りから見ても気分のいいものですし、実際に人から好かれています。

喜怒哀楽を感じると脳の大脳新皮質にある前頭葉という部分が働き、気力を向上させたり知力を刺激し、若々しさの維持につながるなどの効果があります。

問題なのは、感情を表現することではなく、感情にまかせて問題行動を取ってしまうことです。

「感情をコントロールする」とは？

感情をコントロールできない人は、常に不安や怒りの感情を心の中に抱え、モヤモヤしたり、悶々としたりとストレスを溜め込んでしまいます。溜め込んだ感情が爆発して、問題行動を起こしかねません。

たとえば、怒りのあまりに他人を殴ったり、相手を傷つけるような発言をしたりすると、トラブルは免れません。これでは人間関係を悪化させ、社会生活を送るのも難しくなります。

感情をコントロールするとは、感情を持たないようにすることではなくて、感情を持ったときに問題行動を起こさないように自制することです。

感情をコントロールできる人は、上手に人付き合いできるだけでなく、集中した状態で仕事や勉強に取り組むことができるため、常に安定した結果を出します。

まずは、感情をコントロールできるかできないかによって、人生に大きな差がつくことを理解してください。

プラスの感情は積極的に表現しましょう。

感情を表現すること自体はOK。問題行動を起こさないことが大切

感情をコントロールできる人

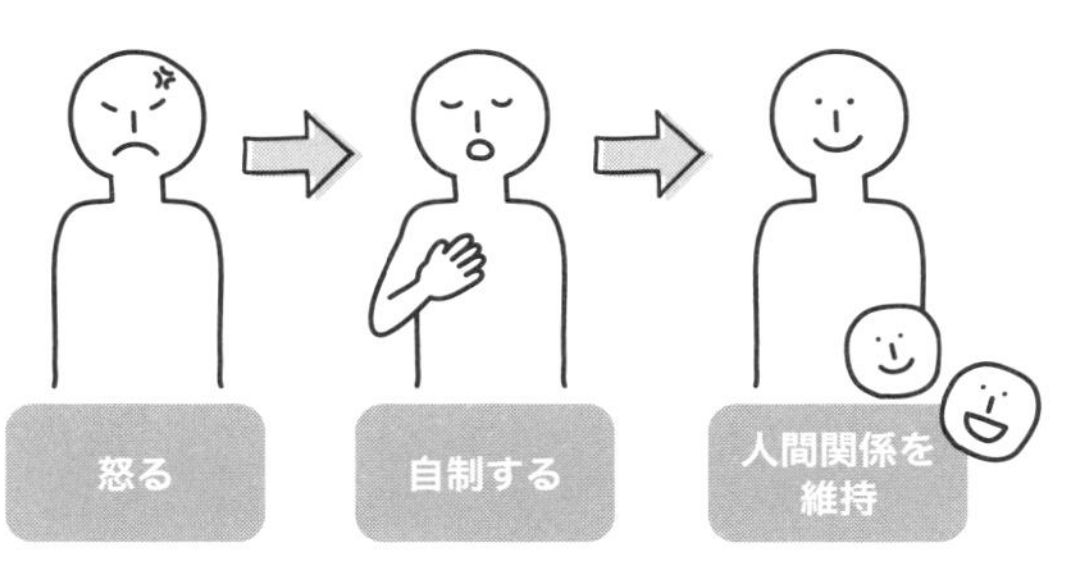

感情をコントロールできない人

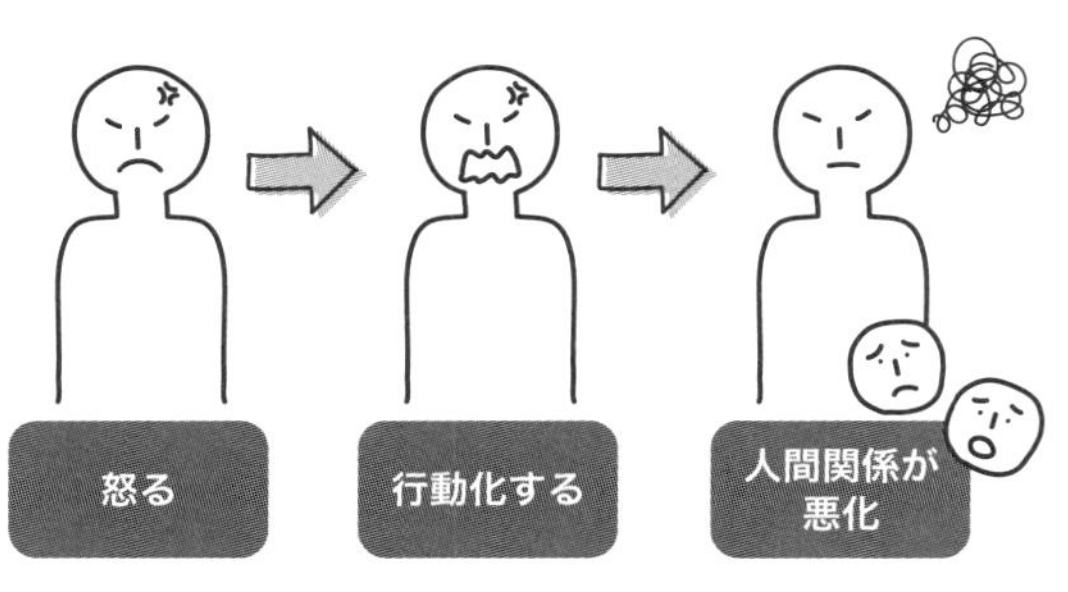

心と脳のメカニズム10の基本

2 感情に振り回されてはいけない

★マイナス感情を持っても大丈夫。
★マイナス感情をバネにすることができる。
★感情に支配されると物事がうまくいかなくなる。

マイナス感情は成長の原動力

「職場の同期が出世したと聞いて、嫉妬する気持ちがわいてしまった」

「このままずっと独身で生きていくのかと思ったら、急に寂しくなってしまった」

このように、私たちはなんらかの出来事に直面して、嫉妬や不安といったマイナスの感情を持つことがあります。

前項でお話ししたように、たとえマイナスの感情であっても感情を持つこと自体が悪いわけではありません。実は、マイナスの感情は人間を成長させる原動力ともなるからです。

不安という感情を例に考えてみましょう。

私は大学受験生の悩みを聞く機会がしばしばあります。ある受験生は、「一生懸命勉強しても合格できるのか不安で仕方がありません」という悩みを抱えていました。

それに対して、私は次のように答えました。

「不安になることは決して悪いことじゃないよ。もし君が不安を持っていなかったら、そもそも勉強しようと思わないよね。だから、不安を取り除こうとするのではなくて、むしろ不安という感情を、勉強するための材料とすべきだよ」

人は不安だからこそ将来のために頑張って勉強したり、負けて悔しいからこそ友だちを見返すために努力して出世したりできます。つまり、感情は動機づけの材料にできるのです。

感情に支配される人、されない人

マイナス感情をバネに奮起するというのは、決して悪いことではありません。しかし、マイナス感情をコントロールできない人が多いのも事実です。

「不合格になるかもしれないと不安に思うばかりで、勉強が手につかなくなっている」

「試験会場でパニックのあまり問題を解くことができない」

――これは感情に支配されているということです。

感情に支配されていると、建設的なことができずに、人生が思うようにいかなくなります。逆に、感情をコントロールしている人は、建設的に行動できるので、仕事や私生活を充実させることができるのです。

感情に支配されそうになっている人は、早くそこから脱出する必要があるのです。

マイナス感情があるから人は成長できるのです。

感情に支配されるのではなく、
感情を上手に使いこなすことが大切

不安

会社が
倒産するかも
しれない

マイナス感情を持つことが
あるのは当たり前

友だちよりも
先に恋人を
ゲットしてやる!

何があっても
大丈夫なように
資格を取っておこう

人はマイナス感情をバネにして
成長に向けて努力することができる

心と脳のメカニズム10の基本

3

感情をコントロールできない人の顔は共通している

★感情をコントロールできない人は、不機嫌な表情をしている。
★不機嫌な表情をしていても損をするだけ。
★まずは自分の感情を確認する習慣をつけることが大切。

「不機嫌な顔」の人が陥る悪循環

感情をコントロールできず、いつも不機嫌な人は、気むずかしくてムッとした表情をしています。

そんな表情の人に、周囲の人が近づきたいと思うはずがありません。たとえどんなに立派な肩書きや実績があっても、付き合いにくい人、人間的に幼稚な人というレッテルを貼られてしまうのがオチです。

敬遠されるだけでなく、ただ不機嫌そうな顔をしているだけで、その人の能力や技能まで過小評価されてしまいがちです。

不機嫌な表情をしていると、感情的な反発を受けて、無能な人とみなされてしまう。その結果、仲間にも恵まれず、チャンスを与えられることもなく、よい結果を出すこともできず、さらに評価を下げる……という負のスパイラルから抜け出せなくなります。

不機嫌が顔に出やすい人の多くは、不機嫌が顔に出ていることを自覚していません。自分の感情を理解していないから、すぐに顔に出てしまうわけです。

当然、なぜ周囲の人から敬遠されているのかもわからず、すべてのことがつまらなくなる一方です。

自分の感情を理解する習慣をつけよう

不機嫌が顔に出てしまいやすい人は、自分の感情に気づくことが先決です。

「あの人の自慢話を聞いて嫉妬してしまったんだな」
「難しい仕事のことで不安に感じていたんだな」

このように自分の感情を理解することは、感情をコントロールする第一歩となります。

人は自分の感情を自分が一番わかっているつもりですが、実はわかっていない場合が多いのです。とくに職場などで感情を押し殺す機会の多い人には、その傾向が顕著です。

まずは、自分の感情を確認する習慣をつけてみましょう。1日の中で、ふと気づいたときに「今の自分はどんな感情を持っているのか?」を考えるだけでOKです。夜、自室などで1日の感情の流れをゆっくり振り返ってみるのもよいでしょう。

感情を確認することで、どんなときに不機嫌になりやすいかという傾向もわかってきます。そうすれば、意味なく不機嫌になることもなくなります。

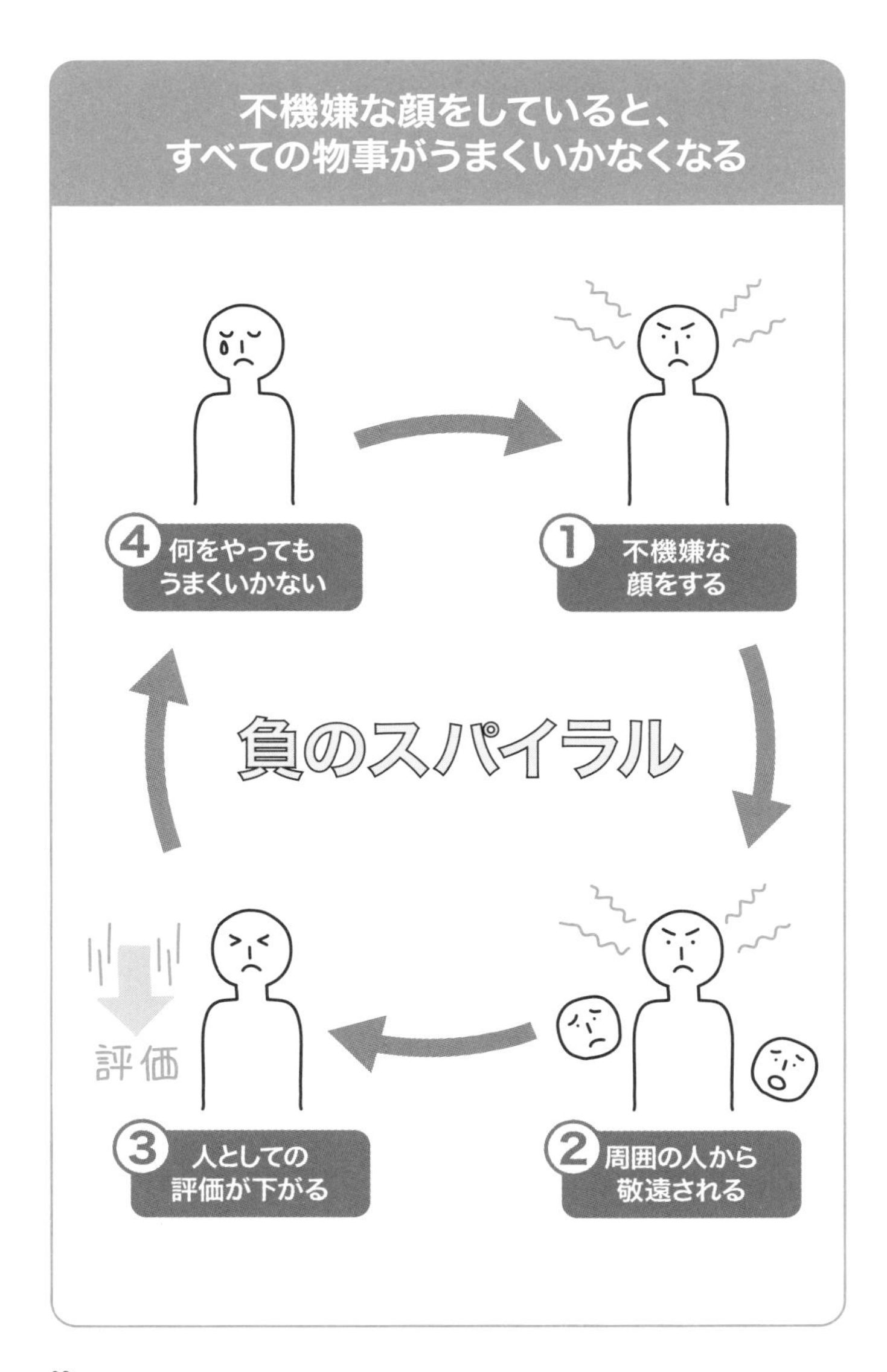
不機嫌な顔をしていると、
すべての物事がうまくいかなくなる
負のスパイラル
① 不機嫌な顔をする
② 周囲の人から敬遠される
③ 人としての評価が下がる
④ 何をやってもうまくいかない
評価

心と脳のメカニズム10の基本

4

満たされていない人は不機嫌になりやすい

★周りから相手にされない人は不機嫌になりやすい。
★精神的・経済的に余裕がある人は不機嫌になりにくい。
★自分が置かれた環境で「満たされている」と思うことが大切。

満たされている人・いない人の違い

現代アメリカの精神分析学にもっとも影響を与えたとされる精神科医のコフートは、「人は自己愛が満たされていないときに不機嫌になる」と言いました。

とくに子どものころに親から愛情を注がれた経験に乏しい人、家族や友人から相手にされていない人、仕事でうまくいっていない人などは、自己愛が満たされていません。満たされていない人は生活の中でちょっとした問題に直面すると、たちまち不機嫌になります。

たとえば、少し電車の到着が遅れただけで駅員に食ってかかったり、レストランで少し料理の提供が遅れただけでウエイターに怒鳴り散らしたりするような行動を取るのです。

駅員やウエイターを怒鳴りつける行為は、「お客である私のほうが一段上の立場にいるのだ」と主張しているのと同じ。

相手が「申し訳ありません」と謝れば、「やっぱり自分のほうが偉い」と認識でき、自己愛も満たされるわけです。

しかし不機嫌になることで自己愛を満たそうとするのはリスクの高い行為です。相手を不愉快にさせ、逆に攻撃を受けたり、周囲の人から非難の対象になったりするからです。

満たされている人はイライラしない

では、経済的な不安もなく、仕事や趣味にも楽しく取り組み、人間関係にも恵まれている人はどうでしょう。

こういう人は、自己愛に満たされており、経済的にも精神的にも余裕があるので、日常的にあまり不機嫌になりません。

電車が遅れても、料理の提供が遅くても「まあ、そういうこともある」と受け止めて、何事もなかったかのように過ごすことができるのです。

「年収○○万円以上ある」「友人が○○人以上いる」など、満たされるための客観的な基準があるわけではありません。お金持ちでも、常に友人たちに囲まれている人でも満たされていない人はたくさんいます。

重要なポイントは、**自分が置かれた環境の中で「満たされている」という実感を持つことができているかどうか**です。

まずは、生活面や人間関係面で満たされていると感じている人と、満たされていないと感じている人の大きな違いを理解しておきましょう。

自己愛が満たされれば
イライラはずっと減るはずです。

不機嫌になるかどうかは「満たされている」かどうかで決まる

満たされていない人

「相手より一段上にいる」と認識することで自己愛を満たそうとする

満たされている人

すでに自己愛が満たされているので、不必要に不機嫌になることはない

心と脳の
メカニズム
10の基本

5

「嫌われたくない」という気持ちが不機嫌を生む

★「嫌われたくない」と思う人ほど、他人に合わせようとする。
★相手に合わせていると自分の感情を裏切ることになる。
★自分の感情を裏切るから不機嫌になる。

なぜか周囲の人に振り回される人

Aさんは東京都内の職場に勤務するキャリアウーマン。やりがいのある仕事を持ち、充実した日々を過ごしているのですが、ある悩みを抱えています。それは職場の人間関係です。

Aさんを含む同世代の女性4人は、ランチを一緒にする機会が多く、周囲からも仲よしグループとして見られています。

Ａさん自身、他の３人のことを嫌いなわけではないのですが、週末にも頻繁に誘われるのには頭を痛めていました。

「職場で仲よくするのはいいけど、週末まで一緒にいたいわけじゃない」と思っていたのです。

そんなＡさんの本心など知らない３人は、「今度の週末は鎌倉に遊びに行こう」「面白い映画があるから一緒に行かない？」などと、毎週のように誘ってきます。

「今週は忙しかったから家で休みたいな」などと言っても、他の３人に押し切られ、結局は一緒に出かけることになります。

いざ外出すると、他の３人が行きたいところについていくだけ。心から楽しいとは思えません。Ａさんはみるみる不機嫌になっていきます。

「断れない」悩みのウラにある恐怖心

Ａさんが、不本意ながらもグループと一緒に行動をともにしているのは、一言でいって「仲間はずれになりたくない」「嫌われたくない」という気持ちがあるから。グループから外れたら居場所がなくなるという恐怖感があるのです。

Aさんが不機嫌にならないためには、行きたくない誘いには「今回は行かないことにする」ときっぱり断ることがベスト。

本来は1回や2回の誘いを断ったところで、仲よし関係でいられるのが、本当の仲よしグループであるはずです。

でも、Aさんはどうしても勇気を出して言い出せません。1回断ったときに、そのグループの仲間でいられるかどうか自信がないからです。

このように、不機嫌な人は、人一倍相手の心理を気にします。そして自分の感情よりも、相手からどう思われるかを優先してしまうのです。

周囲の期待感などの空気を読んで、ついつい自分の感情を裏切ってしまう。その結果、いつも不機嫌になるわけです。

1度くらい断っても大丈夫なのが、本当の仲間です。

「相手からどう思われるか？」を気にすると、不機嫌になりやすい

▶不本意な誘いを受ける

今度、一緒に遊びに行こう!

行きたくないなあ…

▶周囲の期待にしたがってしまう

楽しいね!

う、うん…

▶自分の感情を裏切った結果、不機嫌になる

全然楽しくない

やっぱり断ればよかった

心と脳のメカニズム10の基本

6

いつまでも落ち込んでいるのは過去の自分のせい？

★過去の出来事を思い出すからマイナス感情を引きずる。
★マイナス感情を引きずると、病気になることもある。
★「過去は変えられない」と理解することが大切。

マイナス感情を引きずってしまう人

26ページでお話ししたように、人は誰でもマイナス感情を持つことがあります。ただし、マイナス感情を抱える時間的な長さには個人差があります。

たとえば、上司にこっぴどく叱られたとき。

一瞬落ち込むものの、「くよくよしていても仕方がない」と割り切る人がいる一方で、いつまでも落ち込んだ気持ちを引きずり、なかなかもとに戻らない人がいます。

精神科医の森田正馬は、人間の感情は放っておけば弓なりの曲線を描くように低減していき、やがて消えるという感情の法則を唱えました。

要するに、怒りの感情も悲しみの感情も時間が経てば収まるということです。

ところが、マイナス感情を引きずる人は、何かにつけて過去の出来事を思い出します。ふとした瞬間に小言を言う上司のことを思い出し、また落ち込むといった具合です。

長期間にわたってマイナス感情を引きずると、免疫機能も低下しますし、うつ病になったり体調を崩したりすることにもなりかねません。

やはり、感情を引きずらずに上手に整理する力は、ごきげんに生きていくために必須なのです。

悩んでいても過去は変えられない

では、過去の出来事を引きずらないためには、どうすればよいのでしょうか？

まず重要なのは「過去は変えられない」と理解することです。

前述の森田正馬による森田療法では、患者さんの過去を問題にはしませんでした。「幼児期の心の傷を回復させましょう」などというアプローチを取らなかったのです。

変えようがない過去について悩んでも、悩みから解放されることはありません。過去を引きずってもよいことはないのです。

「仕事でミスをして上司に怒られた。やっぱり自分はダメな人間だ」などと悲観的に受け止めている限り、ますます過去にとらわれてしまいます。

過去は変えられませんが、過去に対する対応は変えることができます。

「今回は失敗したけど、次はミスをしないように気をつければいい」などと、反省を生かしていけばいいのです。

過去の出来事を悩んでいても
仕方がありません。

マイナス感情を引きずらないように、上手に気持ちの整理をつけていこう

マイナス感情を引きずると落ち込み続ける

「過去は変えられない」と理解して割り切る

心と脳のメカニズム10の基本

7

考えれば考えるだけ不安は膨れ上がる

★不安に思うことを考え出すとキリがない。
★考えても仕方がないことについては深く考えない。
★多少のリスクは受け入れて行動する。

悲観的に考えがちな人の共通点

これから起こりそうな出来事について、やたら悲観的に考える人がいます。

「お気に入りの靴を履いていって、雨が降ったらどうしよう」

「初めて行く場所だから、道に迷うかもしれないな」

このように考えれば考えるほど、頭の中が不安でいっぱいになって、外出するのがイヤになってきます。

あれこれ考えて不安になってしまう人は、自分の考えていることが「今一番大きな問題である」ととらえています。

そのため、１つ悲観的な考えが頭に浮かぶと、頭の中が不安一色に染まってしまいます。そして考えても解決がつかないのでずっと悩み続けるのです。

確かに、不安なことが起きる可能性は無限にありますから、考えても考えても悩みが深まるのは当然です。

これに対して、あまり不安を感じない人は、考えても解決がつかない問題については深く考えません。

「雨が降ったらそのときに考えればいい」

「道に迷ったら、人に尋ねたりすれば、なんとかなる」

というスタンスなので、そもそも雨が降ったり道に迷ったりする不安は感じないのです。

たいていの不安は実際には起こらない

あまり不安を感じない人は、〝目の前にあること〟を重視します。だから、たんたんと履きたい靴を選び、ルートを検索して、明日の外出に備えます。

彼らは、〝なんらかの答えが出ること〟〝結果に結びつくこと〟を優先して考えたり、行動したりします。考えても答えが出ないことについては、自分には関係がないと割り切っているのです。

そもそもたいていの不安は、実際にはほとんど起きません。飛行機が墜落したり、通り魔に襲われたりする可能性には注意する必要がありますが、確率でいえば、かなり低いでしょう。

不安に感じるのであれば、起こる確率の高いものから順に不安に感じていくべきです。そして確率の低い不安については、「ほとんど起こらない」と考えて行動していく必要があります。

多少のリスクは踏まえた上で、思い切って行動していくことが大切なのです。

目の前のことに集中すれば不安は減っていきます。

考えれば考えるほど不安になるだけ。リスクを心配しても仕方がない

雨が降ったらどうしよう
道に迷うかもしれない
地震が起きたらイヤだな…
ひったくりにあったらどうしよう
お店が臨時休業かもしれない
不安だ…
雷が落ちてこないとも限らない
交通事故も怖いな
変な人にからまれたりしないかな
誰かに襲われる可能性がある
相手が約束を忘れていたらどうしよう

不安なことが起きる可能性は無限にある

不安を乗り越えるためのポイント

ポイント1
起こる確率の高いものから不安に感じる

ポイント2
確率の低い不安は、「ほとんど起こらない」と考える

ポイント3
多少のリスクを恐れずに行動する

心と脳のメカニズム10の基本

8 自分が不機嫌になれば、相手も不機嫌になる

★「虫の好かない人」が増えるのは自分のせい。
★人間の感情はお互いに反発し合う法則がある。
★自分のマイナス感情を抑えることが大切。

「虫の好かない人」が増えてしまう理由

世の中にはどうしても「虫の好かない人」がいます。顔を見るだけで不愉快になる、話していてもバカにされているような気がする、といった苦手意識を持ってしまう相手のことです。

けれども、虫の好かない人がいるのは、相手に一方的な問題があるからとは限りません。

虫の好かない人と関わっているときの自分を冷静に振り返ってみてください。相手の言葉に過剰に反応したり、相手の考えを憶測で決めつけて反発したりしているケースは多々あります。

実は不機嫌な人ほど、周囲にたくさんの「虫の好かない人」がいます。

それもそのはずです。少しでも気に入らないことがあると、「この人は私を敵視している」と決めつけるからです。

そうやって虫の好かない人を増やす一方で、「自分の周りには、虫の好かない人ばかりいる」と嘆いているわけなのです。

虫が好かないのはお互い様

相手にマイナスの感情を持つと、相手も自分にマイナスの感情を持つようになります。

誰しも、自分を毛嫌いしている人に好印象は持たないでしょう。「この人はなぜこんなにイライラしているのか」と反発するのではないでしょうか？

つまり人間関係においては、ある種の反発の法則があります。プラスの感情にはプラスの感情が、マイナスの感情にはマイナスの感情が返ってきます。ぶつける感情が強ければ強いほど、反発も強くなります。

たとえ長年親しくしてきた友人同士であっても、何かのきっかけで1人が相手を侮蔑したら、反発を受けて関係は一気にこじれるでしょう。

そもそも、改めて解説しなくても、ほとんどの人が生活実感として、こうした感情の法則を知っているはずです。

あなたも自分がイライラした相手に、逆にイライラされた経験があるのではないでしょうか？　**虫が好かないのはお互い様**なのです。

しかし、頭では理解していても、周囲の人にマイナスの感情をぶつける人が後を絶ちません。それだけ多くの人が日々マイナス感情を抱え込み、自分の感情をコントロールできない証拠だといえそうです。

虫の好かない人がいても、
相手が悪いとは限りません。

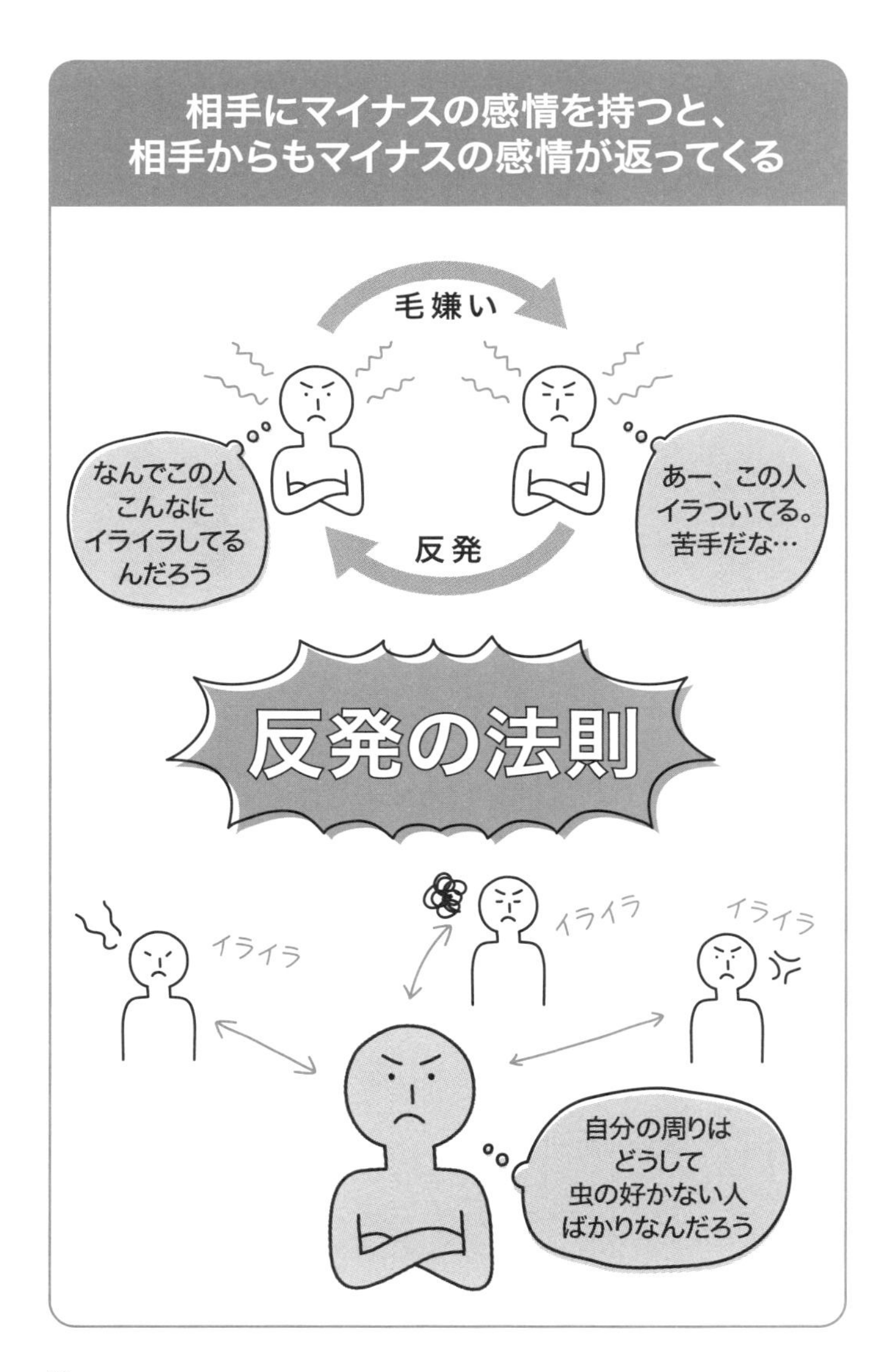
相手にマイナスの感情を持つと、
相手からもマイナスの感情が返ってくる
毛嫌い
なんでこの人
こんなに
イライラしてる
んだろう
あー、この人
イラついてる。
苦手だな…
反発
反発の法則
イライラ
イライラ
イライラ
自分の周りは
どうして
虫の好かない人
ばかりなんだろう

心と脳のメカニズム10の基本

9

なぜ、いつも損な役回りを選んでしまうのか？

★不機嫌な人は損な役回りを押しつけられやすい。
★機嫌がよい人は損な役回りにもイヤな顔をしない。
★機嫌がよい人には大きなチャンスが与えられる。

不機嫌な人ほど損な役が回ってくる

私たちが日々生活している中では、「運がよい、ツイてる」と思えるときもあれば、「運が悪い、ツイてない」と思わざるをえないときもあります。

ただ、いつも不機嫌に過ごしている人のほうが、普通の人よりも運に見放されているように感じることがあります。

実際に、不機嫌な人は、かなりの高確率で損な役回りを押しつけられるものです。

たとえば、職場では上司から明日の会議に間に合うように全員分の資料づくりを命じられたり、会議室のセッティングを言いつけられたりします。いずれも頑張ってもあまり評価されない仕事ばかりです。

冷静に考えてみると、不機嫌な人は、得てして損な役割を押しつけられるべくして押しつけられているのです。

どういうことでしょうか？

不機嫌な人は、損な役回りを押しつけられたときに、あからさまにイヤな顔をして不平不満を口にします。

不機嫌なまま仕事に取り組むので、資料のページが前後逆になっていたり、会議用の椅子が足りなかったりと、仕事の質も低くなりがちです。そのためいつまで経っても雑用以上の仕事を任される機会に恵まれないままなのです。

機嫌がいい人は損な役回りを遠ざける

一方で、機嫌がいい人は、仮に損な役回りを押しつけられたときにも、決してイヤな顔をしません。機嫌よく雑用に取り組むので、仕事も早く終わります。

それを見た周りの人は「あの人に仕事をお願いすればよい結果が出る」と考え、今度はもっと高度な仕事を依頼します。そうやってどんどん期待に応えているうちに、必然的に大きな仕事を任されるわけです。

そうなると、次にその人が雑用をすることになったときに、周囲の人が放っておきません。「○○さんの仕事を手伝って早く終わらせよう」などと協力するので、損な役割に甘んじる機会が極端に減ってくるのです。

結果的に、職場での仕事の配分は固定化されていきます。損な役割は、いつも不平不満を口にしている不機嫌な人に回ってくるようになります。

やはり損をしたくなければ、不機嫌をやめるしかないのです。

不機嫌な人は損な役割を押しつけられがちです。

不機嫌な人には
損な役割が回ってくる
機嫌のよい人
不機嫌な人
これ
やってね
上司
雑用（損な役回り）を
依頼される
前向きに取り組む
不平不満を口にする
早く
終わらせよう
なんで
オレばかり…
ありがとう。
次のプロジェクトも
お願いしたいね
上司
君には掃除しか
お願いできないね
上司

心と脳のメカニズム10の基本

10

「答えは1つ」だと思うから不機嫌になる

★一方的な決めつけが人間を不機嫌にさせる。
★物事の正解は決して1つだけではない。
★いろいろな考え方・価値観を認めることが大切。

一方的に決めつけるからストレスになる

「物事は○○でなくてはならない」

「自分が進むべきはこの道しかない」

このように、物事を一方的に決めつける考え方こそが、人間を最も不機嫌にさせ、不安に陥れます。

たとえば私は「コレステロール値はある程度高くても問題ないのではないか」と考えています。しかし、世の中の医学者の中には「コレステロール値が高い＝不健康」と信じ切って疑わない人たちがいます。

実際に、私は権威のある学者たちから非難の的になりました。

「コレステロールが問題なのは自明の理だ」

「動物実験でも明らかになっている」

「欧米の調査でも明らかになっている」

と辛辣な批判を受けたのです。

私にしてみれば、「そこまで強く主張するのなら、疫学調査をして証明してほしい」と思います。欧米と日本とでは心筋梗塞の発病率と食生活がまるで異なるのですから、日本できちんと調査をすればよいのです。

その調査結果を明らかにすれば、一般の人たちにも役立つ情報を提供できると思うのですが……。

柔軟な姿勢で答えを探していこう

「自分こそが正しい」と思っている人は、自分と異なる意見を持つ人に対して、強烈な敵対心を抱きます。結果的に、常に他人に対して怒りの感情を持ちながら過ごすことになります。

「自分のほうが正しい」

「いや、絶対に自分は間違っていない」

このように、どっちが正しいかという議論を延々と続けても解決できるわけではありません。正しさで自分を縛れば縛るほど、不機嫌やストレスから逃れられなくなります。

「角度を変えて見れば、いろんな正しさがある。唯一絶対の正解なんてない。実際に調査をしてみて、より正解に近い答えを導き出していけばいい」

このように、お互いに柔軟な姿勢を持って、解決策を探る知恵が必要ではないでしょうか？

人間にはいろんな価値観があって当然です。他人にまで自分の正しさを押しつける必要はないのです。

物事にはいろいろな正しさがあるのです。

物事を一方的に決めつける考え方が、人間を最も不機嫌にさせる

✕ 物事を決めつける人

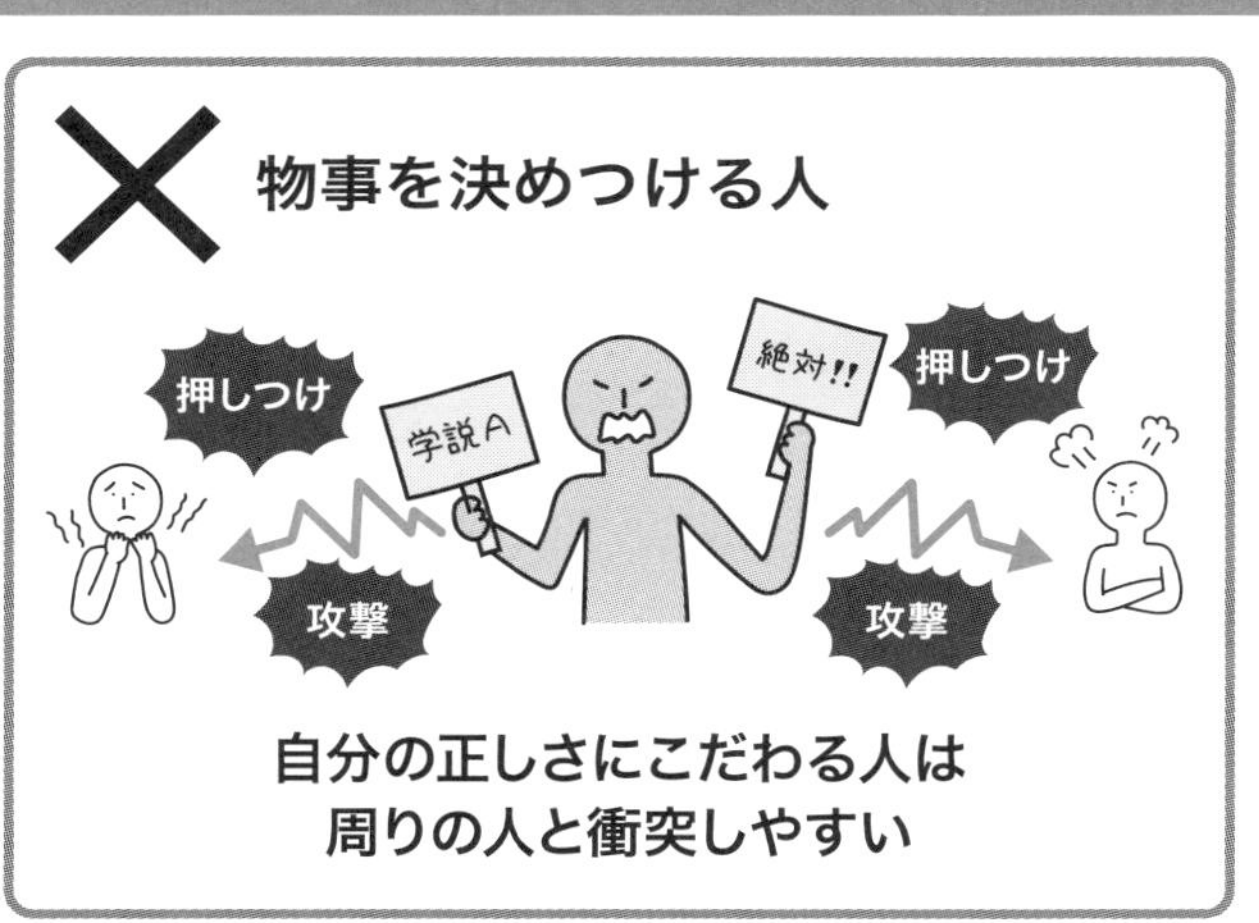

自分の正しさにこだわる人は周りの人と衝突しやすい

○ 柔軟に発想できる人

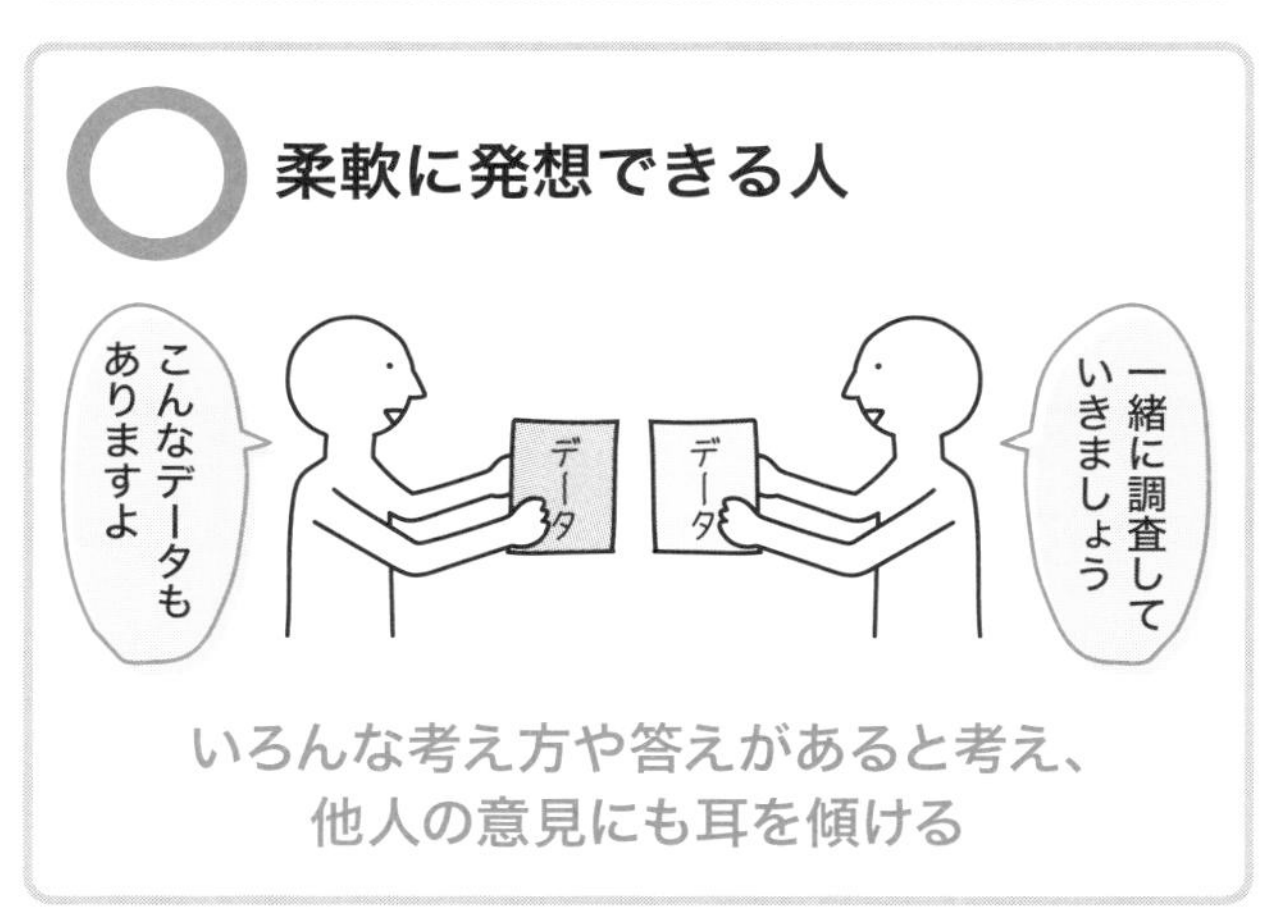

いろんな考え方や答えがあると考え、他人の意見にも耳を傾ける

気持ちの整理のドリル❶

問題1 感情をコントロールするとは？

A 感情を持たないようにすること

B 感情のまま問題行動を起こさないようにすること

問題2 精神科医のコフートは、人はどんなときに不機嫌になると言った？

A 自己愛が満たされていないとき

B 他者を愛せなくなったとき

答え
問題1　B　（→22ページ）
問題2　A　（→34ページ）

問題３　ついつい相手に合わせてしまう人が不機嫌になるのはなぜ？

A　仲間はずれになるのが怖くて無理してしまうから

B　いつも同じ人と行動することで、新しい友だちができにくいから

問題４　過去の出来事を引きずらないためには、どうすればいい？

A　そのときのことを思い出して反省する

B　まず「過去は変えられない」と理解する

問題３　A　（→38ページ）
問題４　B　（→42ページ）

問題5 未来の出来事が不安になったときの対処法は？

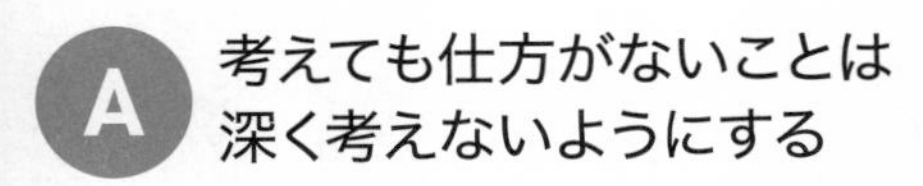

A 考えても仕方がないことは深く考えないようにする

B とことん不安なことについて考え抜く

問題6 不機嫌にならないためのスタンスはどっち？

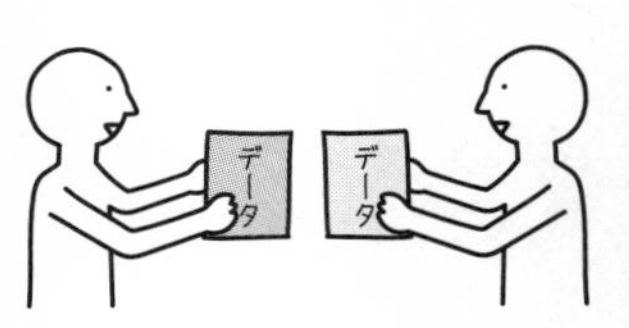

A 物事の正解は決して1つではないと考える

B 絶対的な答えがあると考える

答え

問題5　A
（→46ページ）

問題6　A
（→58ページ）

第2章

感情的にならない考え方

POINT 5

「自分はこのままでも大丈夫」だと思う

自分を愛する気持ちを持てば、
安心感にもつながり
前向きな感情も
生まれます。

➡84ページ

POINT 6

どんなときにも自分を褒める

結果はともあれ、
まずは自分を褒める。
そこから気分はだんだんと
上向いてきます。

➡88ページ

POINT 7

自分の成長を信じる

何歳になっても成長はできます。
あきらめずに「自分は成長できる」
と信じましょう。

➡92ページ

POINT 8

自分を支える柱を作っておく

複数の柱を作っておけば、
1つの柱が倒れても
心の余裕を保つことが
できます。

➡96ページ

感情的にならずにすむ考え方

8つのポイント

感情的になるかどうかは考え方次第。
考え方は今すぐ変えることができます。
普段の生活を見直してみましょう。

POINT 1

自分が不機嫌になる分野を探す

どんな人でも
不機嫌になりやすい
分野があります。
その分野を自覚
しましょう。

➡68ページ

POINT 2

80%達成できれば合格だと考える

100%の達成にこだわると
つらくなります。80%できれば
いいと割り切れば
楽になります。

➡72ページ

POINT 3

どうしてもイヤなときは「NO」と言う

どうしてもイヤなときには
勇気を出して
「NO」と言ってみましょう。

➡76ページ

POINT 4

1週間に3つのご褒美を用意する

自分にご褒美を用意すると
気分がウキウキします。
ご褒美はささいなことでも
OKです。

➡80ページ

感情的にならない考え方

1

まずは自分の性格の〝偏り〟に気づく

★不機嫌な人は、他人の行動にイライラしがち。
★誰にでも過敏に反応してしまう分野がある。
★自分の性格の偏りを認めれば、冷静になることができる。

なぜ他人の行動にイライラするのか

いつも他人の行動が目についてしまい、ことあるごとにイライラしている人がいます。

たとえば、いつも時間厳守を心がけ、待ち合わせ場所に必ず5分前に着くように行動している人は、少しでも時間に遅れる人のことが気になります。

「どうしてあの人は、いつも時間にルーズなのだろう？」

と考え、頭にきて、つい意見を言いたくなります。

同様に、きれい好きの人は、片づけられない人のことが気になります。

「毎日少しずつ片づければいいのに。あんなに散らかった部屋によく住んでいられるものだ」

などと考えて不機嫌になるわけです。


でも、たいていの人は、少しくらい時間に遅れたり、部屋が散らかっていたりしても、そこまで目くじらを立てません。怒っているのはその人だけ、というケースは多いのです。

時間に遅れたり、部屋を散らかしたりする人は、別に他人を挑発する目的で、わざわざ神経に障るように行動しているわけではありません。

つまり、不機嫌になるのは他人のルーズな行動のせいではなく、自分が極度に時間に厳しく、きれい好きな性格だから。性格が偏っているからこそ、相手の行動がいちいち気になるわけです。

どんな人でも偏っている分野はある

常に不機嫌な人は、自分の性格に偏りがあるという事実に気づいていません。
けれども、「自分の性格は正常で、相手の性格が偏っていて非常識だ」と考えている限り、いつまでも不機嫌な感情から抜け出せなくなってしまいます。
そこで大切なのが、自分の性格の偏りを認めることです。

どんな人でも、普通よりも過敏に反応してしまう分野を1つや2つは持っているものです。
「自分は人よりも時間に厳しい人間なんだな」などと素直に認めてしまえば、感情的にならずに他人の行動も冷静に受け止めることができます。

普段自分がどんなときに不機嫌になりやすいか、職場の人や家族、友人などに尋ねてみるのも1つの手です。自分の性格の偏りに気づけば、相手に振り回されることもなくなります。

誰でも過敏に反応してしまう分野があるものです。

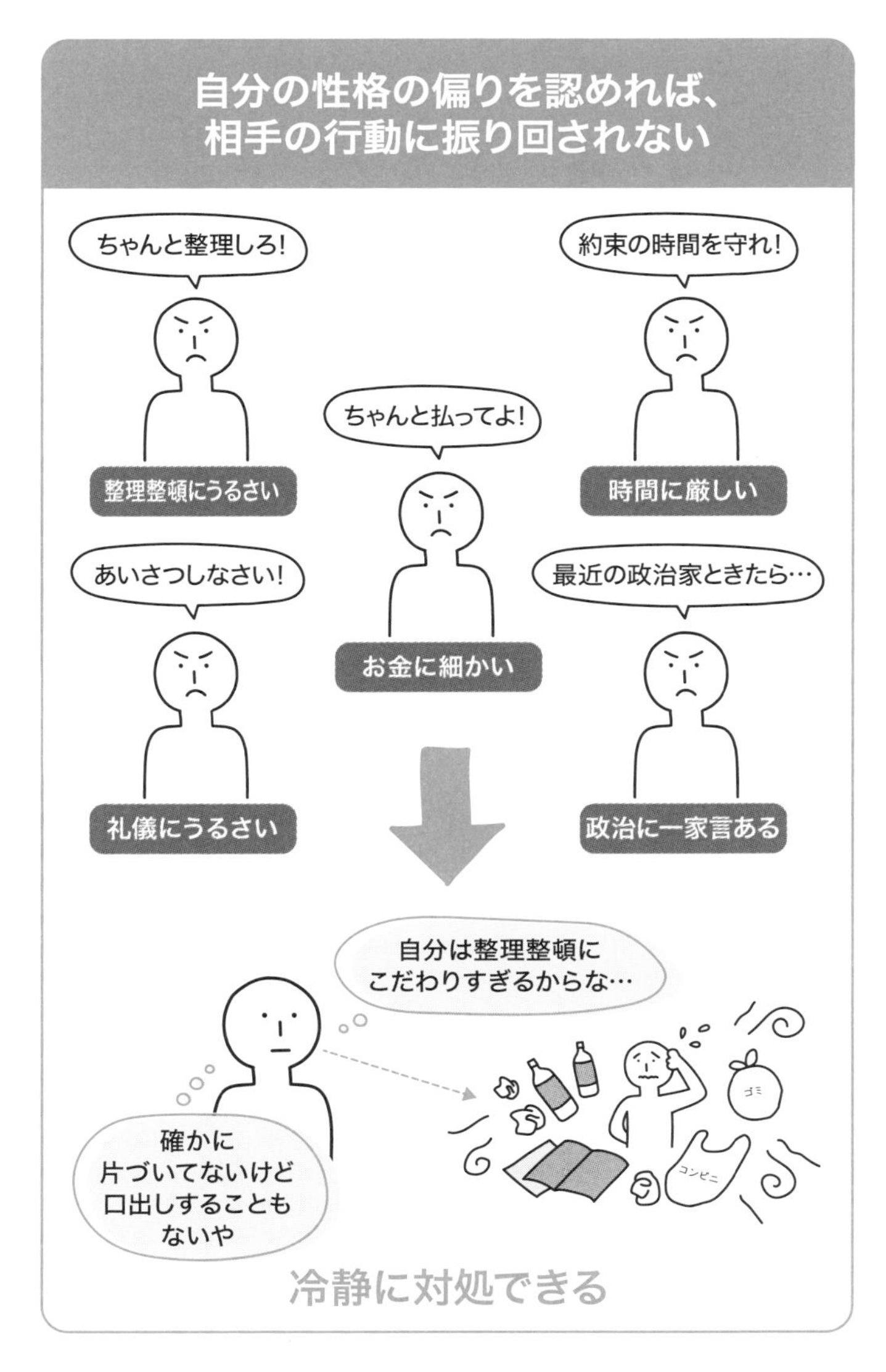
自分の性格の偏りを認めれば、
相手の行動に振り回されない
ちゃんと整理しろ!
整理整頓にうるさい
あいさつしなさい!
礼儀にうるさい
ちゃんと払ってよ!
お金に細かい
約束の時間を守れ!
時間に厳しい
最近の政治家ときたら…
政治に一家言ある
自分は整理整頓に
こだわりすぎるからな…
確かに
片づいてないけど
口出しすることも
ないや
ゴミ
コンビニ
冷静に対処できる

感情的にならない考え方

2

ハードルは「ほどほどの高さ」に設定する

★すべてが完璧にうまくいくことなどありえない。
★完璧にこだわりすぎると、不機嫌になりやすい。
★80％も達成できれば十分だと考える。

完璧主義は不機嫌のもと

仕事でも、趣味でも、人間関係でも、すべてが完璧にうまくいくものなど、現実には1つもありません。

たとえば、営業センスに優れ、顧客に商品を紹介したり成約に導いたりするのが非常に得意な人でも、報告書の作成などの事務処理を苦手としているようなことはよくあります。

こんなとき、「自分はどうして完璧にできないんだろう？」と考えると、精神的に落ち込んでしまいます。

中には、「自分にはなんでもできるはず」と信じて、とことん頑張ってしまう人もいます。結果的に、疲れ切ったり、ストレスがたまったりして、かえって調子を落としかねません。

完璧主義の人は、何をやるにも１００％の達成を目的とします。手抜きや妥協は一切許さず、やるからには全力を注ぎます。

すると80％の完成度でも、納得がいかず心に不満を抱えます。「20％のできなかった部分」に意識が向かうので、挫折感を味わうことになるのです。

何かに取り組むたびに落ち込むわけですから、当然不機嫌になります。そう考えると、人を不機嫌にさせる要素の１つが「完璧主義」だといえます。

80％できればＯＫだと割り切る

完璧主義のせいで不機嫌になる状態から抜け出すには、とにかく完璧を目指すのをやめることです。１００％を目指すのではなく、80％も達成できれば十分だと考えるのです。

たとえば、一般的には「どんな人とも仲よくしたほうがよい」と考えられていますが、常識的に考えて、全員と仲よくできるはずがありません。

どうしても、気が合わない人というのはいます。ですから、「まあ、80％の人とうまくやれればいい」と考えるのです。

夫婦関係においても友人関係においても完璧を求めたら続かないのは明らかです。ときには失敗する自分を受け入れてもらえるから、関係が長続きするのです。

どのラインをクリアすれば80％の合格点といえるのかは、経験で判断できるはずです。

「80％達成でも十分合格点をクリアしているのだから、あとの20％はうまくいったら儲けものだ」と考えられる人は、イライラせずに毎日を過ごせます。

80％をクリアすればよしとしましょう。

完璧主義を捨てることで、
不機嫌から抜け出すことができる
イライラする…
やった！
100%
80%
1
2
3
4
5
6
7
8
8
9
10
合格点を十分
クリアしているから
OK！
80

感情的にならない考え方

3

「NO」と言える勇気を持つ

★多くの人は、しがらみを抱えながら生きている。
★「NO」と言えないから不機嫌になってしまう。
★勇気を出して「NO」と言ってみることが大切。

人間関係のしがらみが不機嫌を生む

社会生活を営む上では、多かれ少なかれ人間関係のしがらみを抱えて生きている人がほとんどでしょう。

たとえば、甘い物が苦手なAさんが、普段お世話になっているBさんから大福の手みやげをもらったとき。本音をいえば大福を口にするのも御免被りたいのですが、しぶしぶ一口食べて「美味しいですね」と答えます。

するとBさんの中で「Aさんには甘い物が喜ばれる」という認識が定着します。それ以降、何かにつけてBさんはスイーツみやげを持ってくるようになりました。Aさんは「今さら甘い物が苦手だなんて言えないし……」とモヤモヤしています。


あなたも似たような経験があるはずです。お世話になった方へのお歳暮や年賀状の習慣はやめられない。上司からの飲み会の誘いは断れない……。

世の中には、こうしたしがらみで不機嫌な毎日を過ごしている人はたくさんいるのです。

勇気を出して「NO」と言ってみよう

「イヤなものはイヤ、と言えない」

「波風を立てたくないばかりに、たとえ自分が損をしてでもその場を収めるのを第一に考えてきた」

こういう人は、今からでも方針を転換しましょう。ときには勇気を出して「NO」と言ってみるといいのです。

口に合わない手みやげには「申し訳ないですが、苦手なんです」と言ってよいですし、付き合いきれない飲み会には「用事があって行けません」と答えてもOKです。

いつも自分の感情を押し殺している人は、「NO」と言うのを躊躇することでしょう。でも、「NO」と言うのもれっきとしたコミュニケーションの1つ。相手がどんな立場であっても、納得できないことや我慢できないことがあれば、思っていることを素直に伝えてよいのです。

お互いに言いたいことを素直に伝えるのであれば、よほど相手がおかしな人間でない限り、人間関係に禍根を残すことにはなりません。

ただし、くれぐれもイライラにまかせて相手を非難するような言葉を口にするのは避けてください。素直に感情を表明する行為と、感情的になって相手を傷つける行為は別ものです。

ときには「NO」と言う
勇気を持つことが大切です。

納得できないことや我慢できないことは素直に伝えていい

モヤモヤを抱えたままだと
しだいに身動きが
取れなくなってしまう…

この件は、
お断りさせて
いただきます

感情的にならずに「NO」を伝えよう

感情的にならない考え方

4

自分への〝ご褒美〟を設定する

★1週間に3つは自分自身へのご褒美を用意する。
★楽しいご褒美が待っていればごきげんでいられる。
★日常の細かなところに楽しさを再発見する。

1週間に3つのご褒美を用意しよう

苦手な人と会う、嫌いな上司と打ち合わせをするなど、イヤなことがある日は、朝から気分が重くなります。

一方で、好きな人とデートするときや、友人との会食が予定されている日は、前日からウキウキして、ごきげんになります。

楽しいことが控えていると気分が高揚し、イヤなことを前にすると気分が下がる。これは人間の習性といえます。

であるならば、自分の気分を高揚させるような「ご褒美」を作っておくことで、ごきげんでいることができます。

私がおすすめしたいのは、１週間に３つを目安に自分自身へのご褒美を用意する方法です。

ご褒美は、「実現できる範囲で、気分が高揚する」バランスを考えるのがポイントです。

私の場合は、妻と２人のレストラン・ディナーを予約したり、見たい映画の前売り券を買っておいたりすることがあります。

もう少し手軽にできるものとして、趣味の本を読む時間を空けておくとか、自宅に置いてあるちょっと高級なワインを開けることもあります。

ご褒美になる対象は多種多様です。競馬や競輪などのギャンブルでも、プロ野球やサッカーの観戦でも、10時間の睡眠でも、絵画鑑賞でも、お花屋さんで買ってきた花を飾ることでもよいのです。

小さな発見から楽しみを広げていく

忙しい毎日を送っている人は、忙しさで感覚が麻痺してしまい、自分の楽しみがなんだかわからなくなってしまうことがあります。

本当は好きだったはずなのに、それに気づかないまま過ごしてしまうのです。

どうしてもご褒美が見つからないという人は、自分の生活を振り返ってみましょう。

毎朝、インスタントのお味噌汁を飲んでいたけど、本当はイチから出汁を取った味噌汁が好きだった……など、日常の細かなところに楽しさを再発見できるはずです。

小さな楽しみが見つかったら、そこから楽しみを膨らませていくのも1つの方法です。

いつもより上等な味噌を買ってみる、高級昆布を使ってみる。このように、自分なりの楽しさを追求してみるとよいでしょう。

ご褒美を作れば
毎日が楽しくなります。

1週間に3つを目安に自分自身へのご褒美を用意しよう

美術鑑賞　趣味の読書　スポーツ観戦

レストランデート　ギャンブル　高級ワイン

1週間に３つのご褒美を決めておく

月	火	水	木	金	土	日
	ご褒美		ご褒美		ご褒美	

感情的にならない考え方

5

「自分を愛する気持ち」を持つ

★自分を愛する気持ちを持てば安心感が生まれる。
★日常的に幸せを感じると、自分を愛することができる。
★周囲の人から愛されるようにすることが大切。

自分を愛している人はごきげんでいられる人

ごきげんで毎日を過ごすための一番のポイントは、「自分を愛する気持ちを持つ」ことです。

自分を愛する気持ちは「自分はこのままでも大丈夫」という安心感につながり、将来を過剰に心配したり、不安視したりすることがなくなります。

同時に、「もっと自分を成長させよう」という前向きな気持ちで行動することもできます。

では、どうすれば自分を愛することができるのでしょうか？

自分を愛するためには、「今の自分は満ち足りている」と感じる必要があります。日常的に、細かなことに対して「満ち足りている」「幸せだ」と感じるようにしましょう。


朝起きたときに「今日も気持ちよく眠れた。幸せだ」と思う。

ご飯を食べて「美味しかった。幸せだ」と思う。

読書をして「面白かった。充実した時間を過ごすことができた」と思う。

小さなことでよいのです。こうした積み重ねによって、満ち足りた気分を持ち続けることができます。そして「自分は幸せだ」と感じ、自分を愛することができるようになるのです。

ただし、過剰な自己愛には注意が必要です。「自分が正しい」「自分には能力がある」という思い込みは、周囲の人への恨みや不満に変わるからです。

よい人間関係を作っておくことが大切

もう1つ、自分を愛するために大切な要素となるのが人間関係です。

他人に対して怒りやねたみ、恨みの感情を持っていると、不愉快な毎日を過ごすことになります。これでは自分を愛するどころではなくなります。

周囲の人から愛されている、評価してもらっている、認めてもらっているという実感を持つことができれば、自分に対する自信が芽生え、自分を愛することもできます。

よい人間関係を作るには、相手に対して善意を持って接することが一番です。51ページで、人間関係には反発の法則があるとお話ししました。相手に好意を持てば、相手からも好意が返ってきます。

そうやって楽しい人間関係を作っておけば、自分がどんどん好きになり、「ごきげんな人」の仲間入りもできるようになるのです。

「今の自分は満ち足りている」と感じることを大切にしましょう。

自分を愛する気持ちを持てば
毎日ごきげんで過ごすことができる
❶「満ち足りている」と感じる
美味しい！
幸せ！
よく寝た！
幸せだ！
❷周囲の人から愛される
照れますね〜
○○さん
好きです
○○さん
といると
楽しい
今の自分で
大丈夫！
自分を愛する気持ちが生まれ、
ごきげんになれる

感情的にならない考え方

6

自分を褒める。自分に魔法をかける

★人はポジティブに肯定されると信じやすい。
★自分を褒めていれば上機嫌になれる。
★どんな結果が出ても自分を褒めることが大切。

自分を褒めるだけでごきげんになれる

バートラム・フォアというアメリカの心理学者が、ある心理実験を行いました。

まず学生たちに心理検査を行い、その結果をもとに性格分析を行い、結果のレポートを1人ひとりに渡すというものです。

でも、実はこのレポートは大ウソでした。全員にまったく同じ内容のレポートを手渡していたのです。

にもかかわらず、７～８割の学生が、レポートを読んで「当たっている」と感じたそうです。

そこには、有名な心理学者のレポートだから、心理検査に基づいているから、という信頼感もあったと思います。ただ、それ以上に、性格分析のフィードバックがポジティブな内容だったことが大きかったようです。

人は「困難を乗り越える力がある」「独創性を持っている」などとポジティブに肯定されると、実際にそうだと思い込む傾向があるのです。これはフォアの名から「フォアラー効果」とか、観客の性格を当てる興行師バーナムの名から「バーナム効果」と呼ばれています。

この作用を効果的に活用してみましょう。

方法は簡単です。自分を褒めておだてて、激励するだけです。

たとえば、受験勉強をしているなら、「今日も1日、勉強をこんなにがんばった。こんなに勉強しているんだから絶対に受かる。明日もがんばろう」などと自分をとことん褒めるのです。

お金持ちになりたいなら、「今日は自炊して５００円以下でまかなえた。自分は楽しみながら節約できる。必ずお金持ちになれる」などと褒めるのです。

どんな結果が出てもまず自分を褒める

たとえば1時間の制限時間で仕事をした場合で考えてみましょう。機嫌が悪い人は5分でもオーバーすると「ダメだった……」と考え、モチベーションがダウンします。

しかし、ごきげんな人は、まず自分を褒めます。「少しオーバーはしたけど、これだけやれたんだから、なかなかのものだ」と、自分を励ますのです。そうやって上機嫌を保ちながら次の仕事に取り組むので、次の仕事でも結果を出しやすいのです。

どんな結果が出ても、まずは自分を褒めることが大切です。「よくやった」と自分を励ます習慣をつけるだけで、感情が前向きになってきます。

毎日、自分を褒めて励ますことが大切です。

毎日自分を褒める習慣をつけるだけで感情を上向きにすることができる

▶人は褒められると信じやすい

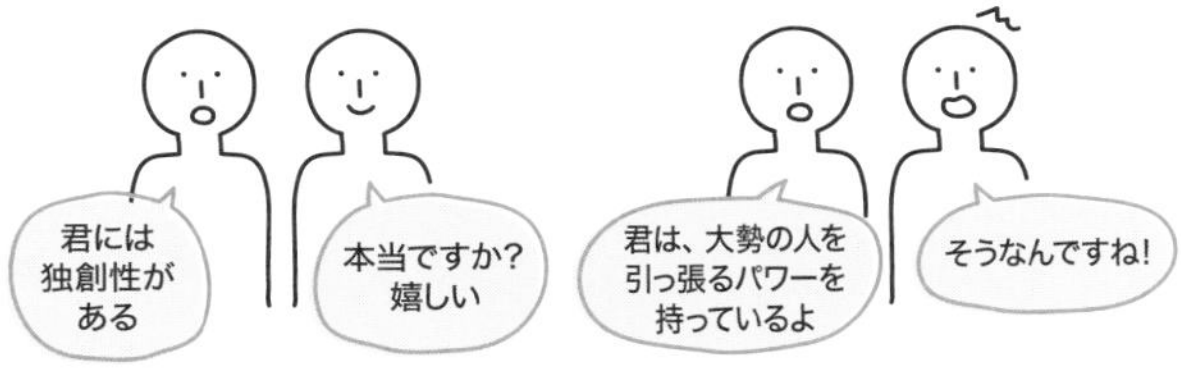

君には独創性がある

本当ですか？嬉しい

君は、大勢の人を引っ張るパワーを持っているよ

そうなんですね！

▶自分自身を褒める習慣をつけると…

今日もがんばった偉いぞ、自分

▶ごきげんになれる

今日も気分がいいね

感情的にならない考え方

7

「明日の自分は成長している」と信じる

★すべての物事は流転する。
★自分を信じる人は、夢や目標に向かって努力できる。
★自分の成長願望を素直に信じてみよう。

自分を信じる気持ちを持とう

昨日まで裕福な暮らしを送っていた人が、今日になって突然倒産の憂き目にあうことがあります。逆に、食うや食わずの生活に追い立てられていた人が、急に脚光を浴び、一躍時の人となることだってあります。

ベストセラー『ハリー・ポッター』シリーズの作者であるＪ・Ｋ・ローリングには、シングルマザーとして生活保護を受けながら原稿を書き進めたというエピソードがあります。当時は、周囲の誰一人として、彼女が世界的なベストセラー作家になるとは信じられなかったことでしょう。

私が、「あなたもお金持ちになるかもしれないですよ」「素敵な伴侶が見つかりますよ」などと言うと、苦笑しながらかぶりを振る人がいます。「和田先生はずいぶん能天気なことをおっしゃいますね」と。

しかし、それでも私は「自分に奇跡が起きる」と信じることが大切だと思います。

私が尊敬する人やあこがれている人は、例外なく自分を信じる人です。自分を信じる人は、夢や目標に向かって努力できる人でもあります。

自分を信じる気持ちがあれば、不幸な時期があっても必ず乗り越えられます。逆境にも焦らず、感情をコントロールできる人でもあるのです。

アホになれば上機嫌になれる!?

「自分に奇跡が起きることを信じる人」は、「自分の中にある成長願望を信じる人」です。もともと、人は誰でも成長願望を持っています。しかし、年齢を重ねるにつれ、「今さら新しいことを始めても仕方がない」とあきらめの気持ちが強くなってきます。

それは成長することをあきらめたのではなくて、ただ自分を信じて行動するのが億劫になっているだけです。

では、どうすれば自分を信じられるのでしょうか？　端的にいえば、素直になることです。もっといってしまえば「アホになる」ということです。

アホになって信じることで、迷いや不安がなくなります。見栄やプライドを捨て、いろいろな人から教えてもらい、積極的に行動する。結果として物事がうまくいき、ごきげんでいられるようになるのです。

自分の可能性を
素直に信じることが大切です。

自分を信じる気持ちがあれば、どんな状況も乗り越えられる

①素直に自分を信じる

今はお金がないけど
自分は絶対にうまくいく

②夢や目標に向かって努力する

教えてください
これは○○ですか？

そう

先生

③物事がうまくいく。ごきげんになる

ニッコリ

やっぱり
うまくいったね！

感情的にならない考え方

8

自分を支える複数の柱を作っておく

★自分を支える柱が1本しかないと不安定になる。
★柱となるものはどんなものであってもOK。
★得意分野を作っておくことも大切。

挫折に負ける人と負けない人

東大卒のエリートが不幸にも自殺をしてしまった――こんな出来事があると、しばしばマスコミは「子どものころから挫折体験がなかったから、たった一度の挫折に負けてしまった」という解釈をすることがあります。

けれども、私にはそうは思えません。私の周りにも同じような挫折をした人がたくさんいますが、そのほとんどはこのような悲劇につながっていないからです。

私は、「自分を支える柱を1本しか持っていない」ことに問題があると思います。柱となるものは、打ち込める趣味であったり、家族との結びつきであったり、ボランティア活動であったり、副業であったりと、なんでもかまいません。

たとえば、いじめられた子が「転校すればいい、塾で勉強すればいい」と思えれば、そこまで自分を追い詰めることはなくなります。

ママ友グループの付き合いに苦しんでいる人も、「家族で仲よくやっていれば大丈夫」と割り切れば、グループから外されることに不安を持たないですみます。

複数の柱を持っておけば、１つの柱が倒れても、「別の柱があるから大丈夫だ」と心に余裕が生まれます。

私も、医者がダメなら作家もあるし、映画の世界もある、と考えてきたからこそ、不安に振り回されずにすんだと思います。

得意分野を作っておくことも大切

柱を持つことと関連して、得意分野を作っておくことも重要なポイントです。

心理学者のアルフレッド・アドラーは、「成功体験を持つことで他のことでも勝てるかもしれないと思えるようになる」と述べています。

小さなことでもいいから成功を体験することで、自分に自信が持てるということです。

つまり、自分でうまくいくと思える得意分野を作っておくことが大切です。

得意分野でうまくいっていると安心できます。営業が苦手なら企画、企画が苦手ならプレゼンといった具合です。

何か他のことで失敗したとしても、「まあいいや、自分には得意分野があるから」と思い、不機嫌にならずにいられるのです。

複数の柱があれば
心に余裕が生まれます。

自分を支える「柱」を複数持つことで、精神状態も安定する

複数の柱を持っている人

1本の柱しか持っていない人

気持ちの整理のドリル❷

問題1 他人の行動に
厳しく反応してしまうのはなぜ？

A 常識のない人が世の中に
増えているから

B 自分の性格に偏っている
部分があるから

問題2 不機嫌にならないための
目標設定は？

A 80%できれば
よしとする

B 常に100%の
達成を目指す

答え
問題1 B
(→68ページ)
問題2 A
(→72ページ)

問題 3 気分を高揚させるために有効なのは？

A 罰ゲームで自分に
プレッシャーを与える

B 楽しいご褒美を
設定しておく

問題 4 自分を愛するために必要なことは？

A 日ごろから「幸せだ」
「満ちたりている」と感じる

B 毎日鏡で自分のことを
10分以上見つめる

問題3　B
（→80ページ）

問題4　A
（→84ページ）

問題5　感情を上向きにするための習慣はどっち？

A　どんな結果でも、
自分を褒めて
おだてて激励する

B　うまくいったときだけ
「よくやった」と
自分を褒める

問題6　心に余裕を生むために必要なのはどっち？

A　自分を支える複数の
柱を持っておく

B　とにかく1つのことに
専念する

答え
問題5　A　（→88ページ）
問題6　A　（→96ページ）

第3章

やってはいけない！ストレスを増やす行動・考え方

POINT 5

「察してほしい」と甘えるのをやめる

言葉に出さなければ自分の感情は理解されません。「察してほしい」という甘えはNGです。

➡122ページ

POINT 6

勝ち負けにこだわりすぎない

「勝ち負け」にこだわりすぎると疲れます。勝ち負けに一喜一憂するのはやめましょう。

➡126ページ

POINT 7

人との距離感を近づけすぎない

近づきすぎず、離れすぎず、ほどほどの距離感で付き合えば、人間関係は良好になります。

➡130ページ

ストレスをためて不機嫌にならない

7つのポイント

気づかないうちにやってしまっている――
そんな習性がマイナス感情を招くことも。
きっぱりやめれば感情的にならずに済みます。

POINT 1

「言っても仕方がない」ことは言わない

嫉妬や恨みの言葉を発しても
損をするだけ。冷静になって
自重することが大切です。

➡106ページ

POINT 2

悪口や噂話の輪に加わるのをやめる

悪口や噂話の輪に
加わらないことは、
他人のマイナス感情から
自分を守るための
知恵です。

➡110ページ

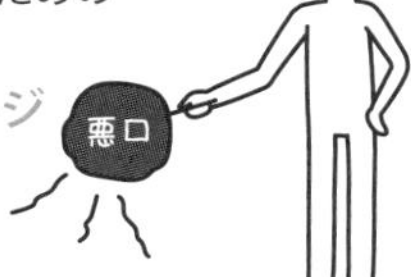

POINT 3

SNSですべての人に対応するのをやめる

「ここまで」という基準を
作っておけば、
SNSに振り回される
心配もなくなります。

➡114ページ

POINT 4

1人で抱え込むのをやめる

素直な気持ちで周囲の人の助けを
借りましょう。よい結果が
得られやすくなります。

➡118ページ

ストレスを増やす行動・考え方

1

〝マイナス感情〟をすぐに口に出すのをやめる

★「喜怒哀楽」の感情を表すのはＯＫ。
★マイナス感情を口にしても「哀れな人」と思われるだけ。
★マイナス感情を口に出したらどうなるかを想像しよう。

マイナス感情を口にしても損をするだけ

ストレスを溜め込みすぎないために「喜怒哀楽」の感情を表すことは大切です。単純に「嬉しい」「悲しい」感情であれば、口に出してもそれほど問題にはなりません。

調子に乗ってはしゃぎすぎたとしても、周囲の人に「度が過ぎました」と謝ればすみます。

また、悲しい感情を吐き出すことで、気持ちに整理をつけることもできます。

それよりも私が注意してほしいと思うのは、嫉妬や恨みなど特定の相手に対して抱くマイナス感情から発する言葉です。

もちろん、誰でも嫉妬や恨みなどの感情を持つことはあるでしょう。しかし、こうした感情を持ったときに、すぐに口に出すのは絶対にやめてください。「口に出してもどうにもならないんだから、やめておこう」と自重するのです。

たとえば、あなたと同期の同僚が営業で大型の受注に成功し、一躍脚光を浴びることになりました。間近で見ていたあなたは、なんだか納得がいきません。

「交際費などのコストを人一倍かけていたじゃないか」

「先月の成績は大したことがなかったのに」

そんなモヤモヤした感情がくすぶっています。でも、ここでやっかみの言葉を実際に口にしたらどうなるでしょう？

周りからは「嫉妬している哀れな人」というレッテルを貼られるのがオチですし、言った自分も苦々しい思いをするだけ。

つまり、マイナス感情を口にしても、損をするだけなのです。

嫉妬や恨みの感情を持ったときには?

自分が嫉妬や恨みの感情を持ったときには、いったん立ち止まり、それをそのまま口に出したらどうなるかを想像する時間を作ってみてください。

あなたは、人が恨みや嫉妬にかられた発言をしているのを見て、どのような気持ちになるでしょうか? きっと「醜いな」「ああはなりたくないものだ」などと思うはずです。

逆の立場から想像することで、自分がマイナス感情を発したら、周囲から白い目で見られるのがわかります。

マイナス感情を発したら惨めになる――そう気づけば、口に出すのを思いとどまることができます。

マイナス感情を口に出す前に、結果を想像しましょう。

マイナス感情を持ったとしても すぐに口に出してはいけない

嫉妬や恨みの感情を持つ

得意げ

かっこいい

ぐぬぬ、
あのヤロー

✕ マイナス感情を口に出す

あんなの
ただのまぐれ
だね

「哀れな人」の
レッテルを貼られる

みっともないね

フンッ

ああなりたく
ない

○ 口に出したら どうなるかを考える

冷静

あんなの…

みっともないね

自重する

バカバカしいから
やめよう

ストレスを
増やす
行動・考え方

2

悪口・噂話の輪には加わらない

★人の感情は他人に伝染するものである。
★とくにマイナス感情は強く伝染しやすい。
★悪口や噂話の場からは静かに抜け出す。

人のマイナス感情は伝染しやすい

人の感情には「うつる」という法則があります。

たとえば、朝出社したら、同僚がいつになく上機嫌だったとします。すると、「何かいいことがあったのかな？」と思い、なんとなく自分の気持ちも明るくなってくるものです。

逆にピリピリして不機嫌を隠そうとしない同僚の姿を見たら、「なんでこんなに不機嫌なんだ」と思い、自分までイライラしてきます。

どちらかというと、プラスの感情よりマイナス感情のほうがパワーがあります。せっかく自分がいい気分でいても、他人の不機嫌に接すると、たちまち不機嫌は伝染します。

１人でもマイナスの感情を持っている人がいたら、その感情は職場全体にまで広がってしまうのです。

とくにマイナス感情が伝染しやすいのが、悪口や噂話に巻き込まれるケースです。

他人の悪口や噂話に巻き込まれると、たちまちマイナス感情がうつり、悪口や噂話の対象となっている人に不快な感情を抱きます。たとえ一度も会ったことのない人に対しても、簡単に悪意を持ってしまうのです。

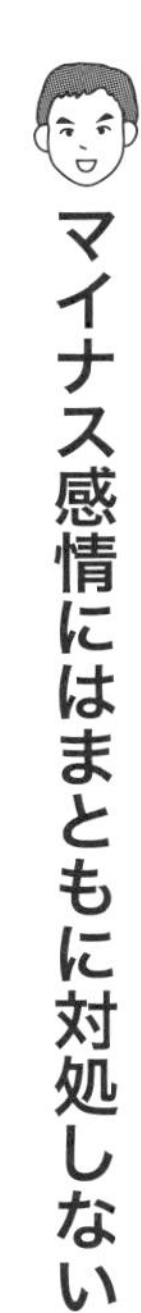

マイナス感情にはまともに対処しない

そこで、不機嫌にならないために求められるのが、相手のマイナス感情から自分を守ることです。何を言われても取り合わなければよいのです。

まず、他人の悪口や噂話の輪には加わらないようにしましょう。たまたま居合わせてしまったとしても、静かにその場から抜け出すのです。

しつこく巻き込まれそうになっても、「なんでそう思うの？」「本当なの？」といった反応をしてはいけません。

相手のマイナス感情をまともに引き受けることになり、結局は自分もイヤな気持ちになるだけだからです。

「へー、そうなんだ」「知らないな、そんなことは」などと、軽く受け流すようにしましょう。

当然、自分から周囲の人に悪口や噂話をしかけるのは、もってのほかです。一度、マイナス感情を伝染させると、人間として信用を失い、のちのちまで周囲の人から白い目で見られることになります。

悪口や噂話をしても
不機嫌になるだけです。

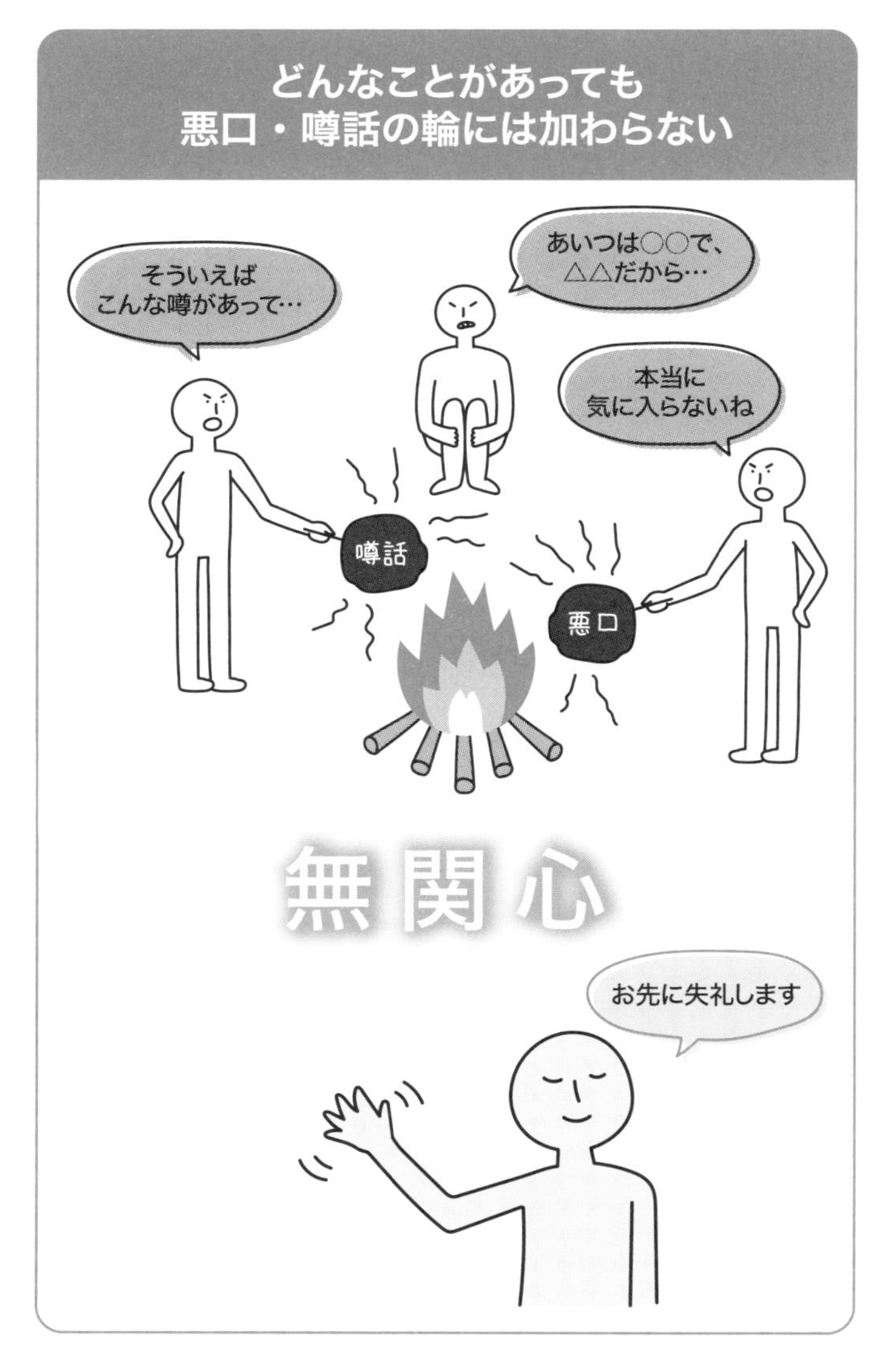
どんなことがあっても
悪口・噂話の輪には加わらない
そういえば
こんな噂があって…
あいつは○○で、
△△だから…
本当に
気に入らないね
噂話
悪口
無関心
お先に失礼します

3

SNSに関わりすぎないようにする

★SNS（ソーシャルネットワーキングサービス）は不機嫌のもとになりやすい。
★どこまで対応するのかという基準を作っておく。
★人間関係を絞り込むことで、イライラも回避できる。

SNSをやりすぎると不機嫌になる理由

現代人の不機嫌の大きな原因となりつつあるのが、フェイスブックやLINE（ライン）、ツイッターなどのSNS（ソーシャルネットワーキングサービス）です。

フェイスブックに近況を投稿し、「いいね！」をたくさんもらえると、認められたような感じがして嬉しくなります。

けれども、いいことばかりではありません。「いいね！」を増やすためには、それなりの労力がかかります。

自己愛で満たされていない人は、「いいね！」をもらいたいがために、仕事そっちのけでフェイスブックに没頭してしまうかもしれません。

また、「いいね！」をもらった代わりに、自分もいろいろなところで「いいね！」を押す必要も生じます。

そうやって、いつもＳＮＳのことばかり考えて過ごしていると、心に負荷がかかり、しだいにイライラしてくるわけです。

本当は、ネット上のバーチャルな「いいね！」をもらうよりも、現実社会で成果を出して認められるほうがメリットが大きいと思うのですが……。

一部の人だけに対応すればＯＫ

私自身、ときどきフェイスブックを使うことはありますが、ほどほどでとどめるように意識しています。

LINE（ライン）については、不機嫌になるのが目に見えているので、手を出していません。

けれども、中にはどうしても仕事や友人との関わりでSNSを使わざるをえないケースがあると思います。

そんな人は、どこまで対応するのかという基準をあらかじめ作っておくことをおすすめします。一部の仲のよい人には返信するけど、あとは放っておいてもかまわない、などと割り切るのです。

「コメントしてくれないんですか？」などと言われても、「最近、忙しくて、みんなに不義理をしているんですよ」と言えば、たいていは納得してもらえます。

それでもしつこく関わりを求めるような人とは、最初から近づきすぎないのが賢明です。

SNSは友だちを増やすツールではなく、友だちを絞り込むツール。そんなスタンスで関われば、不機嫌を回避できます。


SNSよりも現実で成果を出したほうが得です。

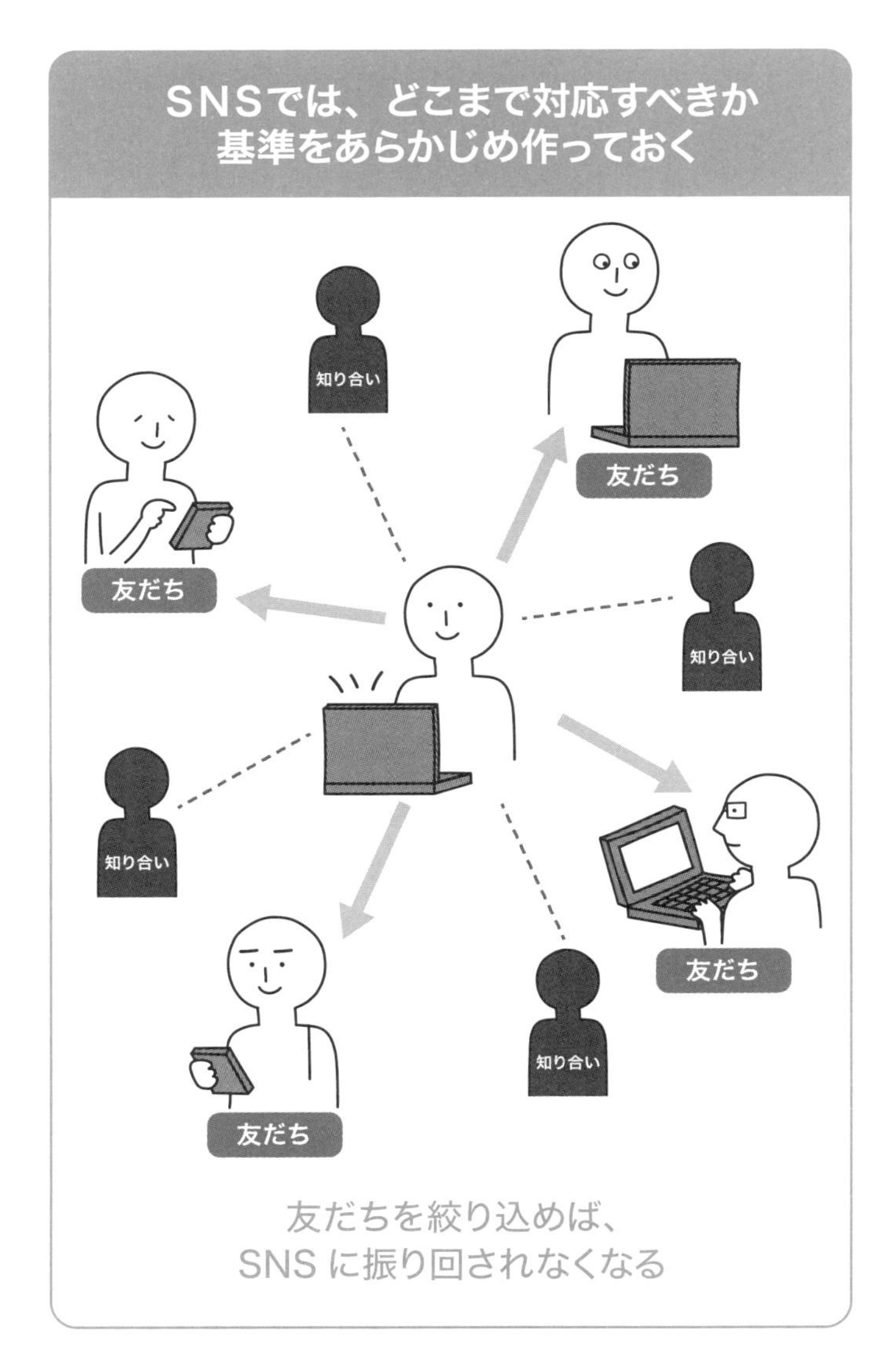
SNSでは、どこまで対応すべきか
基準をあらかじめ作っておく
知り合い
友だち
友だち
知り合い
知り合い
友だち
知り合い
友だち
友だちを絞り込めば、
SNS に振り回されなくなる

ストレスを増やす行動・考え方

4

1人で抱え込むのをやめる

★1人で物事を抱えると不機嫌になりやすい。
★1人で抱えられる範囲には限界がある。
★周囲の人に頼れば、ストレスがなくなる。

1人で抱えているから苦しくなる

不機嫌になりやすい人は、周囲の人の感情を憶測であれこれと考えてしまう傾向があります。相手の気持ちを先回りして解釈し、結果的に1人で悩みを抱えてしまうのです。

サラリーマンのCさんは、そんな1人で抱えやすい典型的なタイプの人です。

30代の男性役職者として、20代社員たちから慕われていましたが、1人悶々とした悩みを抱えていました。仕事を配分するのがどうにも苦手だったのです。

「この仕事をお願いしたら彼女は反発するんだろうな」

「新人の彼には、この仕事はまだ早すぎる」

などと、あれこれ悩んだ結果、最終的には1人で仕事をやってしまうのです。

「どうしてこんなに毎日忙しいのだろう。かといって、みんなに仕事を押しつけて嫌われたくないし、成果が出なかったら責任問題になるし……」

と、ストレスで不機嫌な日々を過ごしていました。

Cさんは、1人で相撲を取っているようなものです。部下たちの本音を知っているわけではありませんし、どれだけ仕事ができるかは結局やらせてみなければわかりません。

勇気を出して頼ることが大切

Cさんの部下たちは、本当に仕事を任されてもうまくできないのでしょうか？　もしかすると、Cさんが1人でがんばりすぎているせいで、出る幕がなかっただけかもしれません。

「お願い、手伝って」と素直に頼んだり、「君の成長のために、この仕事を任せたいんだ」と期待の言葉をかけたりすれば、前向きに取り組んでくれる可能性もあるのです。

実際、Cさんが自分の仕事を割り振ったところ、Cさんが楽になっただけでなく、チームで成果を出すという意識が高まりました。

仕事にせよ悩みにせよ、1人で抱えられる範囲には限界があります。

何から何まで自分1人で解決しなければならないと思うと、大きなストレスを抱えることになります。それなら、周囲の人に頼ったほうが、よい結果を得られることが多いのです。

虚勢を張るのはやめて、周囲の人に助けてもらいましょう。人を頼っていると、人脈のネットワークも広がり、自分を成長させることにもつながります。

「助けて」とお願いすれば、
なんとかなります。

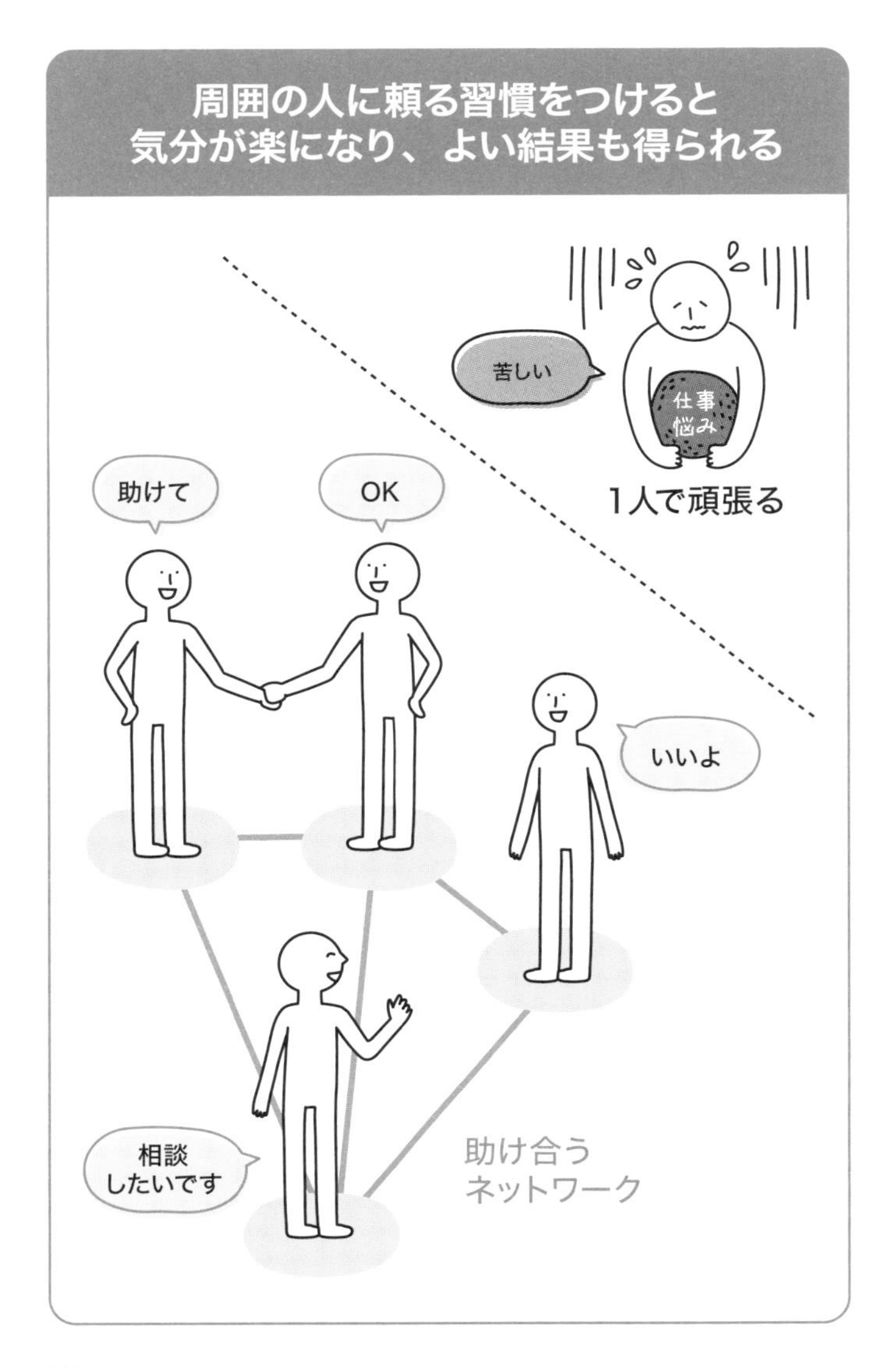
周囲の人に頼る習慣をつけると
気分が楽になり、よい結果も得られる
苦しい
仕事
悩み
1人で頑張る
助けて
OK
いいよ
相談
したいです
助け合う
ネットワーク

ストレスを
増やす
行動・考え方

5

「察してほしい」という甘えを捨てる

★双方の気持ちを100％理解し合うことはありえない。
★相手に察してほしいと甘えるから不機嫌になる。
★察してもらえなくて当然だと割り切れば楽になる。

「相手が察してくれる」って本当？

あえて言葉にしなくても気持ちが伝わる。相手が察してくれる――よく日本人の美徳のようにいわれることですが、果たして本当でしょうか？

これは長年連れ添った夫婦の例です。

サラリーマンの夫が夜、不機嫌な顔をしながら帰ってきました。昼間、職場で上司にこっぴどく叱られたのです。しかも、自分には落ち度がなかったのに、一方的にミスをしたと決めつけられたのでした。

夫のイライラは帰宅してビールを飲んでも収まりません。

しかし、妻はそんな夫の気持ちをよそに、のんびりとバラエティ番組を見て大笑いしています。イライラした夫は、つい妻にあたってしまいます。

「おい、いつまでくだらないテレビを見ているんだ！」

出し抜けに怒られた妻も感情的に反応し、夫婦ゲンカに発展してしまいました。

この場合、悪いのはやはり夫です。自分が不愉快な思いをしたときには、その様子を察して、やさしい言葉をかけるのが妻の役割だ。夫はそう考え、妻の対応を期待していました。

夫は一方的に甘えていたのです。

「わかってほしい」と甘えるのをやめる

人と人との間には厳然とした壁のようなものがあります。

親子や兄弟姉妹、仲のよい夫婦であっても、双方の気持ちを100%理解し合うことはありえません。どんなに親しい関係でも、考え方は人それぞれです。

にもかかわらず、「察してほしい」と甘えてしまうのは、自分が普段から周囲の人の思惑を気にして生きているからです。

「自分は相手の思いをいつも気にしているのに、相手が自分の思いに気づいてくれないのはなぜなんだ？」と、不機嫌になってしまうのです。

しかし、そもそも人の感情は、言葉に出さない限り理解されないのです。感情を素直に伝えない人を理解しろというのは無理な話です。

だから、相手に察してもらうことを最初から期待すべきではありません。相手の心を理解できなくて当然、相手も自分を理解できなくて当然。そう割り切って、わかってほしいと甘えるのをやめれば、気持ちが楽になります。

言葉に出さない気持ちを理解するのは不可能です。

「わかってほしい」と甘えるのをやめれば、気持ちが楽になる

職場で叱られた夫

不機嫌を察してくれない妻にイライラ

ストレスを
増やす
行動・考え方

6

「勝ち負け」で物事を見るのをやめる

★常に「勝ち負け」のフィルターでとらえる人がいる。
★勝ち負けにとらわれていると不満が募る。
★勝ち負けにこだわるのをやめると楽になる。

「勝ち負け」を信じるから不機嫌になる

物事すべてを「勝ち負け」でしか見られない人がいます。

たとえば、「勝ち組」「負け組」という言葉があります。これは、人を勝者と敗者に分ける発想から生まれた言葉であって、典型的な「勝ち負け」の思考パターンに基づいた言葉です。

「一部上場企業の社員は勝ち組で、中小企業の社員は負け組」などと勝ち負けの枠組みにとらわれていると、中小企業の人は「私は負け組だ」と悲観し、不満が募ります。勝っている人も、常に勝とうとすることでストレスを抱えます。

けれども、「大企業で働いているかどうかなんて関係ない。充実した仕事ができればいいんだ」と考える中小企業の人にしてみれば、自分が負け組だとは考えもしません。当然、敗北感を持って不機嫌になることもないでしょう。

そう考えると、不機嫌になる原因は、そもそも勝ち負けとは無関係なことを、勝ち負けの枠組みで判断してしまうところにもありそうです。

自分と同じ年齢の人が、有名になって活躍しているのを見ると、一方的に負けた気がする。同級生が近々結婚しそうだというニュースを聞いただけで、敗北感に打ちのめされる。

いずれも、一方的に自分が勝ち負けの枠組みでとらえて、一方的に自分が負けたと思い込んで、一方的に不機嫌になっているだけ。

何が楽しくて、わざわざ自分から不機嫌になろうとしているのでしょうか？

幸せかどうかは自分自身で決める

そもそも幸せかどうかは自分自身で決めることです。世間一般の勝ち負けの枠組みとはまったくの無関係です。

自分の立場や行動を勝ち負けで判定するのをやめましょう。意味のない勝ち負けの枠組みを意識して、一喜一憂する必要はないのです。

もちろん、受験や昇進など、勝ち負けにこだわるべきときもあるでしょう。そこでは堂々と競争に臨めばよいのです。

ただし、仮に一度負けたとしても、人生全部が否定されるわけではありません。

いずれにせよ、つまらない勝ち負けから解放されると、不機嫌からも抜け出せます。

幸せかどうかは
自分の尺度で決めましょう。

勝ち負けの枠組みにとらわれると、不機嫌から抜け出せなくなる

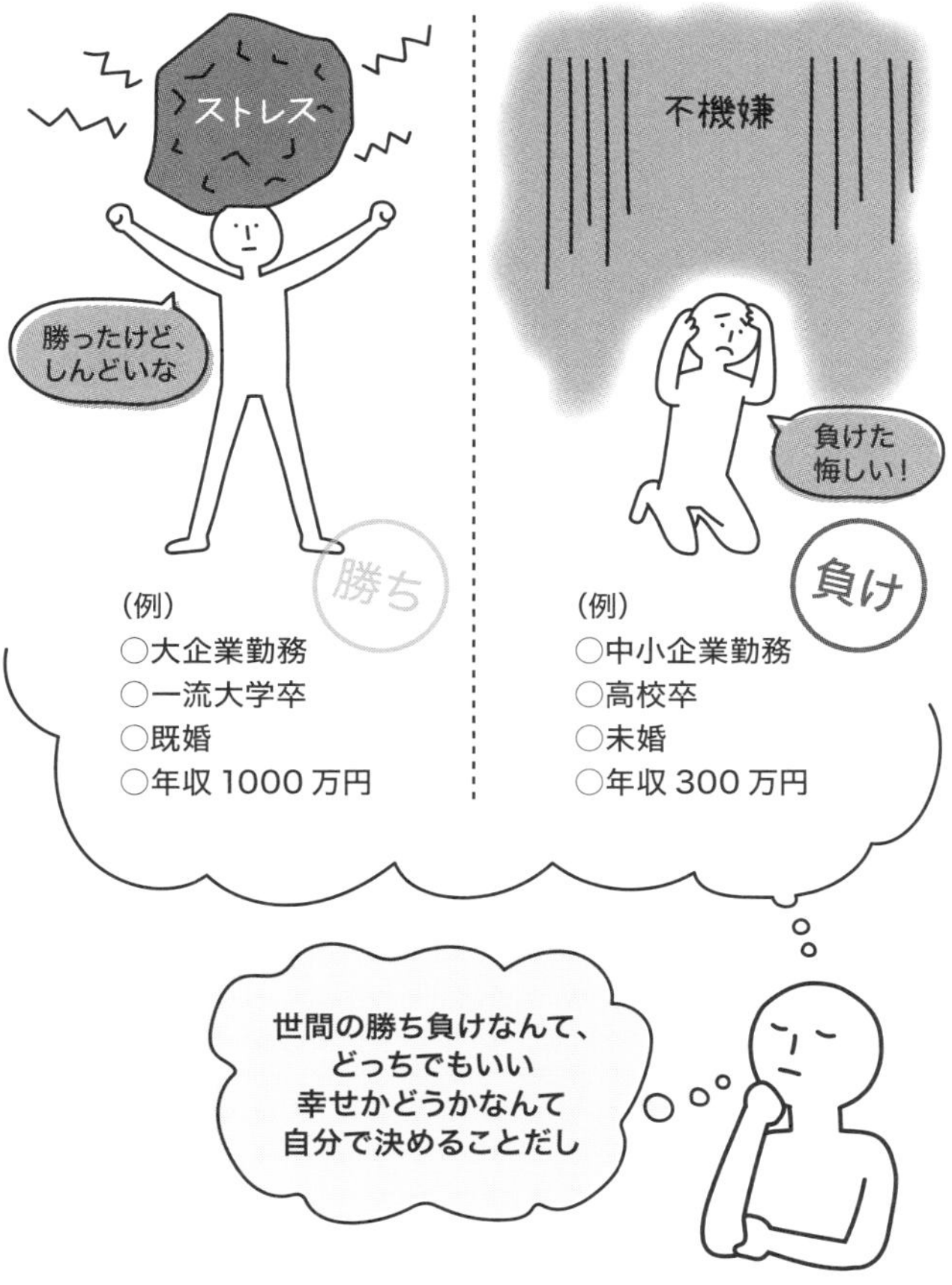

（例）
◯大企業勤務
◯一流大学卒
◯既婚
◯年収 1000 万円

（例）
◯中小企業勤務
◯高校卒
◯未婚
◯年収 300 万円

ストレスを
増やす
行動・考え方

7

人との距離感を近づけすぎない

★「距離感」が人間関係を良好にする。
★仲がよくても近づきすぎてはいけない。
★たまには久しく会っていない人にアプローチしてみる。

「たまに会う人」と仲よくできる理由

学生時代に親しくしていた友人たちと年に一度顔を合わせて旧交を温めるような機会は、非常に楽しいものです。

お世話になった人の自宅に年末のあいさつに出向き、やさしい言葉をかけていただくのも人生においては非常に貴重な機会です。

20代のころ一緒に仕事をしていた人と、40代になって偶然にも再会し、昔話に花を咲かせるなどというのも、なかなか愉快な出来事といえます。

私たちが「めったに会わない人」と会うのが楽しいのは、時間的な距離感が、「懐かしい」という感情を起こすからです。

つまり、「距離感」は人間関係を良好にするための大きな要素だといえます。

どんなに仲のよい友人であっても、毎晩同じ部屋に寝泊まりをしていたら、お互いのイヤな部分が目につき、イライラすることもあるでしょう。

お互いにイライラが募り、ケンカに発展してしまうかもしれません。

しかし、ほどほどの距離感を置いて付き合えば、気持ちのよい関係を保つことが可能です。瞬間的にイライラしても、離れている間に冷静になり、気持ちを落ち着かせられるからです。

距離感は人間関係でマイナス感情を抱くことから自分を守ってくれるものなのです。

くっつきすぎず離れすぎずが大切

気持ちのいい人間関係を築くために、ほどよい距離感を意識しましょう。気が合うからといって毎日べったりするのは考えものです。職場で同じ人と同じ会話を延々と続けているのは、職場に長く居すぎているからです。

残業体質を改めて、早く帰宅して家族と話をする時間を作ったり、勉強会や習い事に参加して新たな人間関係を作れば、それぞれの距離感を適度に保つことにもつながります。

久しく会っていない人には、季節の変わり目などにハガキを送ったり、メールを送ったりするのもよいかもしれません。たまに会う人と過ごす時間が楽しいのは前述したとおりです。

ヤマアラシが仲間と寄り添って生きるには、くっつきすぎず離れすぎずの距離感が大事になります。この法則は人間にも当てはまる真理なのです。

距離感があることで、いい人付き合いができます。

人付き合いに大切なのは適度な距離感

友人関係

職場の同僚

家族関係

お世話になった人

気持ちの整理のドリル❸

問題1 マイナスの感情を持ったときにどうする？

A 思ったことを
すぐに吐き出す

B 口に出したらどうなるかを
考えて自重する

問題2 周囲の人たちが悪口を言っているときはどうする？

A 静かにその場から
抜け出す

B 一緒に悪口を言う

答え
問題1　B　（→106ページ）
問題2　A　（→110ページ）

問題 3 SNSはどのように使ったほうがよい？

A 知り合いみんなに返信する

B 一部の仲のよい人だけに返信する

問題 4 相手にわかってもらえないときの対処法は？

A 態度に示すことで相手に気づいてもらう

イライラ
イライラ
イライラ
イライラ

B 言葉にして伝えることで相手に気づいてもらう

答え

問題3　B　（→114ページ）
問題4　B　（→122ページ）

問題5 勝ち負けから解放される考え方は？

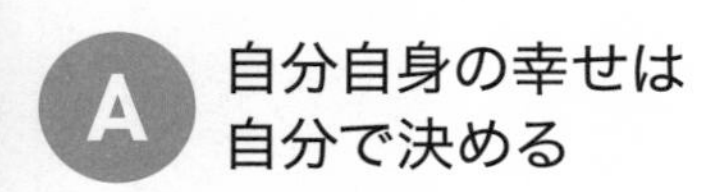

A 自分自身の幸せは
自分で決める

B 勝ち組になるために
がんばる

問題6 人と上手に付き合うための
ポイントは？

A 好きな人でも、
ほどほどの距離感で付き合う

B 好きな人とは、
毎日ベッタリ付き合う

問題5　A　（→126ページ）　問題6　A　（→130ページ）

第4章

毎日、
ごきげんな
自分になる

できることから
始めてみよう

POINT 5

徹底的に休む

疲れていると不機嫌になるだけ。思い切って休み、充実したコンディションを作りましょう。

➡156ページ

POINT 6

朝の時間に自分の感情を整理する

朝はその日を占う時間帯。
「今日も1日いい日にしよう」
と決断しましょう。

➡160ページ

POINT 7

気分転換の手段を持つ

イヤな記憶を忘れるには
何か別のことをするのがベスト。
気分転換法を見つけて
おきましょう。

➡164ページ

POINT 8

新しいことにチャレンジする

前例にとらわれず新しいことに
チャレンジしましょう。
ダメだったら
やめれば
いいのです。

➡168ページ

POINT 9

機嫌のいい人の真似をする

機嫌のいい人の真似をすると、
自分もごきげんになり、
幸運がもたらされます。

➡172ページ

毎日、ごきげんになるためにやりたいこと

9つのポイント

いきなり全部をやる必要はありません。
少しずつ試していく中で
感情をコントロールする習慣をつけましょう。

POINT 1

「変えられること」だけに取り組む。

「変えられること」と
「変えられないこと」を分けて、
変えられる範囲で努力しましょう。

➡140ページ

POINT 2

常に笑顔を意識する

笑顔はごきげんになるための
最上の方法です。普段から笑顔を
トレーニングしましょう。

➡144ページ

POINT 3

間違ったときには素直に謝る

たとえ自分に非がなかったとしても、
素直に謝ったほうが
結果的に得をします。

➡148ページ

POINT 4

好きなことから始める

好きなことから始めれば、
何事も気分よく
効率的に
進めることが
できます。

➡152ページ

毎日、
ごきげんに
なるために

1

「自分で変えられること」だけに取り組む

★「変えられること」と「変えられないこと」を分ける。
★「変えられないこと」は潔くあきらめる。
★変えられる範囲で自分の行動を変えてみる。

「変えられること」と「変えられないこと」

不機嫌にならないためには、ムダに心配したり、怒ったりするのをやめることが大切です。

それにはまず「変えられること」と「変えられないこと」を明確に分ける必要があります。

「変えられること」であれば、自分の行動しだいで不機嫌になる機会を減らせます。

しかし、「変えられないこと」の場合、自分がいくら悩んだところで、どうにもなりません。いつまでも悩み続け、不機嫌がひどくなるだけです。

心理療法の1つである森田療法には「過去と他人は変えられない」という基本的な考え方があります。

たとえば、子どもの不勉強に悩む母親がいます。受験を控えているのに、子どもは遊んでばかり。それを見るたびに母親は怒りをぶつけるのですが、子どもの反発を受けるだけで、状況はまるで改善しません。

しかし、冷静に考えて、子どもを自分の思いどおりに変えることなど不可能です。「私は子どもを変えなければならない」と思うから、変わらない子どもを見て不機嫌になり続けるのです。

ですから、「子どものことはそうそう変えられない」と割り切ってしまうことです。「いい大学に行ってほしいけど、ダメなら仕方がない。子どもの人生なのだから」と割り切る。そうすれば、心の負担が軽減され、イライラも収まります。

自分が変えられることだけに意識を向ける

その上で「自分で変えられることから変えていこう」と意識を転換しましょう。

たとえば、子どもに対していつもとは違うやわらかい言葉をかけてみる。子どもは「いつもと何か感じが違う」と気づきます。そこから行動に変化が生まれるかもしれません。

あるいは、母親自身が何かの勉強を楽しんでいる姿を見せる、というのも1つの手です。親が勉強を楽しんでいる様子を見れば、子どもは「勉強って楽しいのかもしれない」と感じるかもしれません。

実際、私が見る限り、勉強のできる子の親は、自分が勉強好きというケースが多いのです。

とにかく自分の変えられる範囲で行動を変えてみて、何がどう変化するのかを試してみるだけでもいいのです。

「変えられないこと」に悩むだけムダです。

「変えられること」と「変えられないこと」を分けてみよう

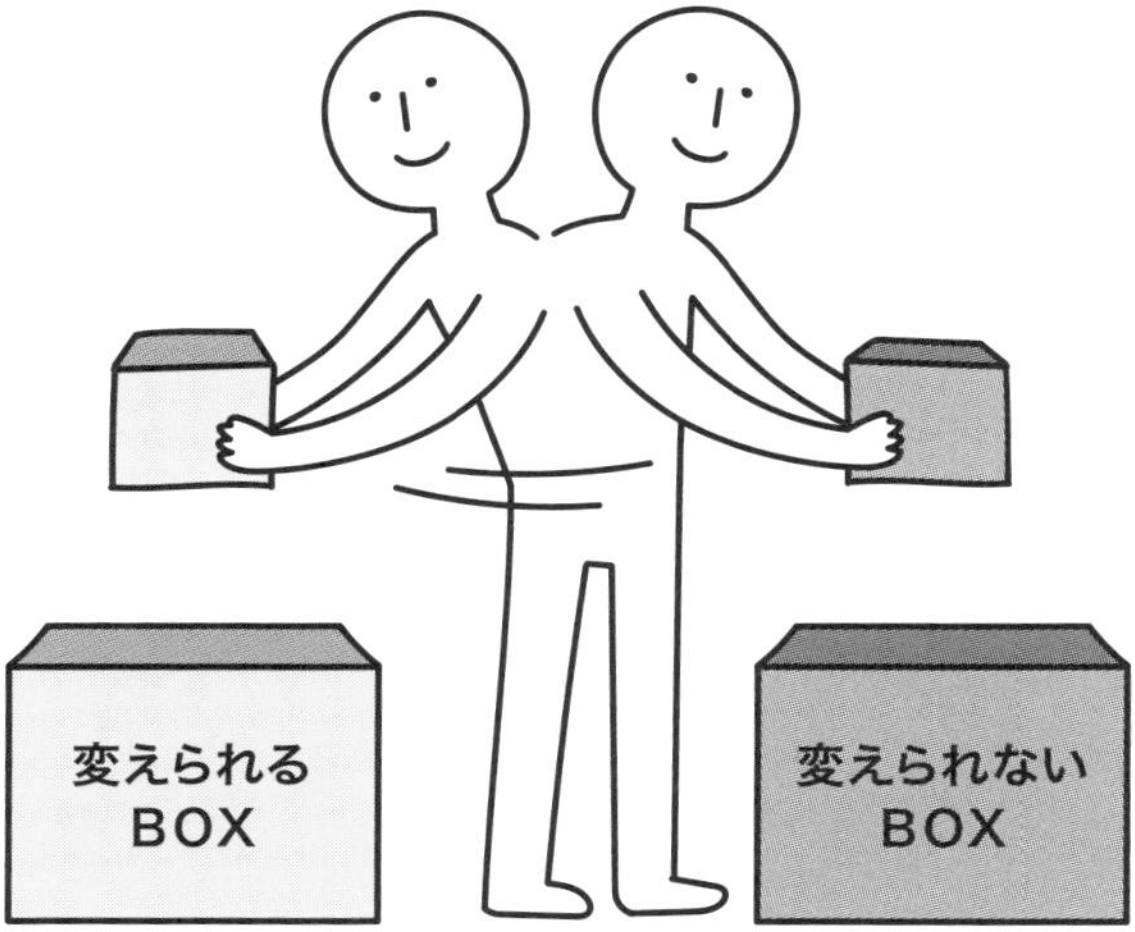

変えられる
BOX

変えられない
BOX

○同僚への仕事の頼み方
○上司へのあいさつ
○子どもへの声かけ
○夫の体調管理
…etc.

○仕事をしない同僚
○口うるさい上司
○勉強しない子ども
○無気力な夫
…etc.

変えられることから変えていくことが大切

毎日、
ごきげんに
なるために

2

〝笑顔の自分〟を演出する

★笑顔を見せると相手の表情もやわらぐ。
★笑顔になると周りの人から好かれてごきげんになれる。
★楽しい場所に行くと自然と笑顔になれる。

笑顔はごきげんになるシンプルな方法

ごきげんになるために、最もシンプルかつ効果が高い方法は、笑顔を作ることです。

イライラしている相手に笑顔を見せると、相手の表情はやわらぎ、落ち着きます。

精神科医も笑顔を効果的に活用している職業の1つです。笑顔を作ることは、患者さんとの良好な関係づくりに直結します。また、攻撃的な患者さんから身を守るためにも、笑顔は大きな役割を果たしてきました。

いつも怒ったような顔をしている人、不機嫌そうな顔をしている人には、誰も近づこうとはしません。人が離れていくと、ますます不機嫌になります。

けれども、いつも笑顔の人は好かれます。笑顔は人間関係を良好にする特効薬です。

笑顔を効果的に使うには、笑顔を習慣づけて、笑顔をクセにしていくのが一番です。いつも笑顔でいると、笑顔を作る顔の筋肉が発達し、笑顔のクセができます。

こうなれば、とくに意識しなくても、自然と笑顔を作れるようになります。笑顔になると周りの人から好かれて、自分もごきげんになれます。

笑顔のトレーニングをしてみよう

笑顔が苦手な人は、鏡の前で笑顔のトレーニングをしましょう。まずは口の周りの筋肉を動かして、スマイルを作ります。

次に箸を横向きにくわえて、口角を引き上げる練習をします。白い歯が見えるくらいを意識してください。

笑顔と同時に明るいあいさつも心がけましょう。「おはようございます」の一言に笑顔が加われば、相手からも元気なあいさつが返ってきます。お互いに気分がよくなり、その日1日気分よく過ごすことができます。

それでも笑顔が難しい人は、みんなが笑顔をしている場に行くとよいでしょう。人間は不思議なもので、不機嫌にしているときでも、周りのみんなが楽しそうにしていると、不機嫌を続けるのが難しくなります。

周りにつられて笑っているうちに、しだいに楽しくなってきて、いつの間にか不機嫌な感情を忘れてしまいます。

笑顔で不機嫌を吹き飛ばすことは、ごきげんになるためも一番の近道といえるのです。

笑顔がクセになると
ごきげんな気分もクセになります。

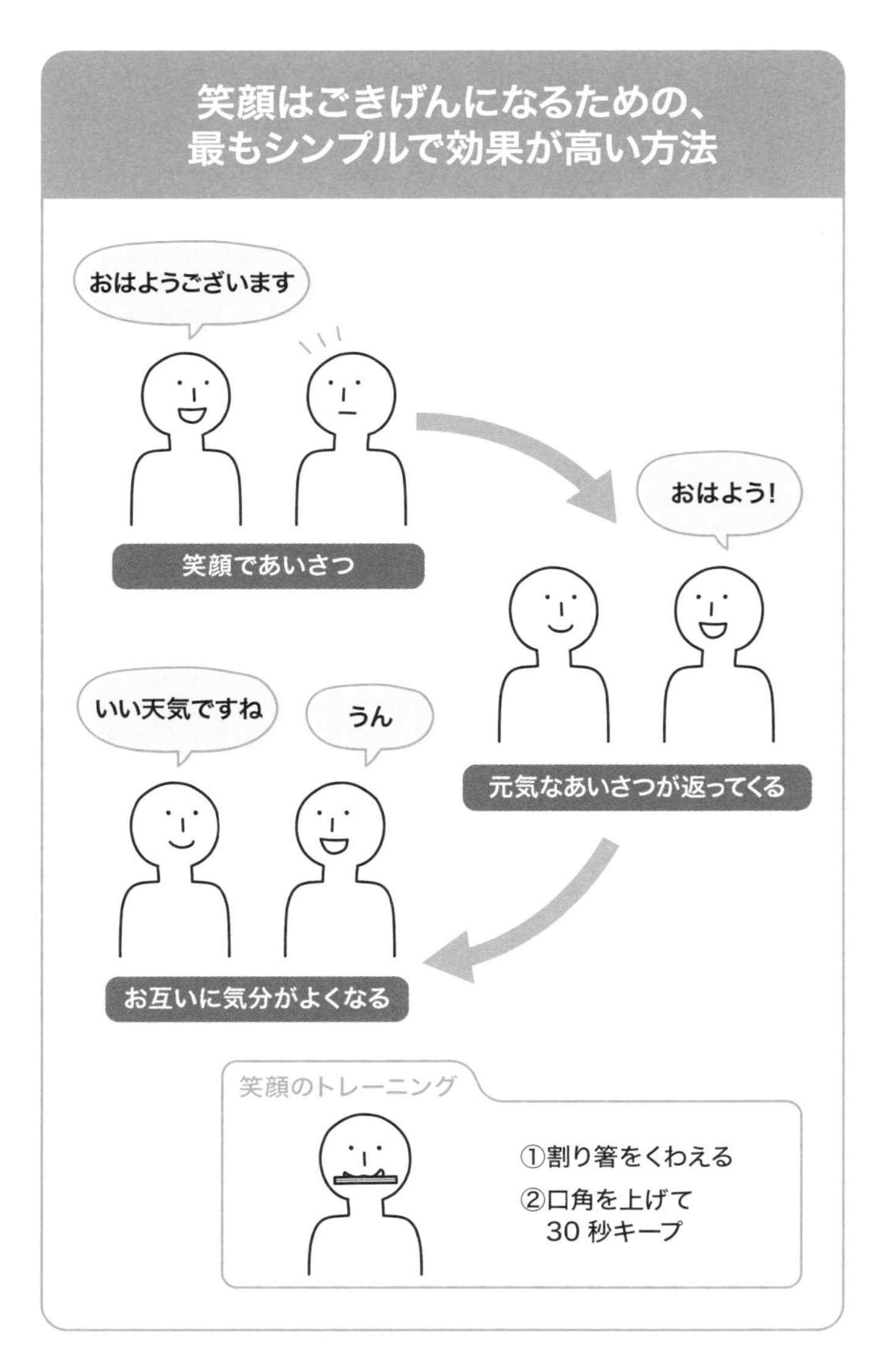
笑顔はごきげんになるための、
最もシンプルで効果が高い方法
おはようございます
笑顔であいさつ
おはよう!
元気なあいさつが返ってくる
いい天気ですね
うん
お互いに気分がよくなる
笑顔のトレーニング
①割り箸をくわえる
②口角を上げて
30 秒キープ

3
間違いを認めて素直に謝る

★失敗したり間違ったりしたら、すぐに謝る。
★たとえ自分に非がない場合でも、まずは謝る。
★さっさと謝って、損して得を取る発想を持とう。

どんな状況でも素直に謝ることが大切

どんな人でも、失敗したり間違ったりすることはあります。そんなとき、自分に落ち度があったと思うなら、素直に謝りましょう。

たとえば、あなたが友人と会食の約束をしていて、定刻に出向いたつもりが、実際には時間を間違えていました。結果、友人を30分待たせてしまいました。

ここで「間違えました。ごめんなさい」と素直に謝れば、友人も笑って済ませてくれるはず。

問題なのは、自分に非があるかどうか定かではない場合です。自分は時間を間違えていない、友人のほうが勘違いしている気がする……。

こんなとき、到着早々、事実確認から始める人がいます。

「君が約束の時間を間違って記憶していたんじゃないか？　オレの手帳には30分あとの時間が書いてあるぞ」

そうやって〝正しさ〟にこだわり、意地でも謝らない姿勢を示していたら、友人の反発を招くのも当然です。

たとえ自分に非がない場合でも、まっさきに謝ってしまえばよいのです。「遅れて申し訳ない」と謝った上で、「実は、30分あとの時間だと記憶してたんだ」と言えば、お互いにイライラせずにすみます。

大阪商人の発想に学ぼう

多くの場合、人は自分より年長者や地位が高い人に対しては謝りますが、年少者や地位が低いとみなした人にはなかなか謝りません。

とくに年齢を重ねるほど、「自分のほうが知識や経験も豊富だから、負けや失敗は認めたくない」という心理が強くなります。

街中などで突然キレる中高年や高齢者を見かける背景には、このような理由があるのです。

そこで、ぜひ私がおすすめしたいのが、大阪商人の発想を持つことです。大阪商人は結果を重視します。プロセスはともあれ、最終的に儲かればよいという柔軟な発想を持っています。

ですから、結果として得になると思えば、頭を下げることも厭いません。「頭を下げるのはタダやから」と言って、ケロッとしています。

さっさと謝って、損して得を取る。これが不機嫌を遠ざける大人の知恵なのです。

自分に落ち度がなくても、まず謝ってしまいましょう。

頭を下げるのはタダ。謝ってしまえば、
イライラせずにすむ
遅れてゴメン!
申し訳
ありません
忘れちゃった
許してね!
私が
間違えました
大変失礼
いたしました

4

好きなことから着手してみる

★嫌いなことから始めると気分も乗らない。
★好きなことから始めるといつも以上に力が出る。
★好きなこと、得意なことから着手すればストレスがなくなる。

好きな物と嫌いな物どっちから食べる？

子どもの偏食をなおすために、嫌いな物から食べさせる方法があるそうです。たとえば「ピーマンを食べたら、大好物のウインナーを食べてもいいよ」などと、好物をエサにする作戦です。

けれども、果たしてこれで本当に偏食がなおせるのでしょうか？

子どもがしぶしぶピーマンを食べたとしても、ウインナーを食べるために我慢しただけ。決してピーマン嫌いを克服したわけではないからです。

これでは、いつまでも嫌いな物が好きになりません。むしろ、嫌いな物でお腹いっぱいになり、食べること自体がイヤになってしまう心配もあります。

私は、好きな物から食べさせたほうが食育効果が高いのではないかと思います。実際、次のような面白い食べ方があるようです。

まず、複数のおかずの中から、「好きな物はどれ？」と尋ね、一番好きな物を食べさせる。次に、残ったおかずの中から、「好きな物はどれ？」と聞き、好きな物を与える。これを繰り返していくのだそうです。

すると、最後の１つ以外は「一番好きな物」になるので、美味しく感じられるというわけです。

まず好きなことから手をつける

これは仕事についてもまったく同じです。やるべき仕事を抱えて、身動きが取れなくなった……。

そんな場合、やるべきことに優先順位をつけ、まず好きなことから着手すれば、気分よく効率的に進めることができます。

好きなことから始めれば、肩に力も入らず、いつも以上の力が出せます。その勢いで苦手なことや難しいことにも手をつければ、予想以上の成果が出ることでしょう。

これは、脳科学の知見からも実証されています。

画像診断で脳血流を見てみると、人が楽しく何かをしているときは、前頭前野の血流が増えることがわかりました。そして、楽しく取り組んでいるときには、思考力や単純記憶力も増すという結果が出たのです。

物事に気持ちよく取り組むには、好きなこと、得意なことから着手するのがベストなのです。そうすれば、自ら不機嫌を招くこともなくなります。

好きなことから取り組めば楽しくなります。

物事に取り組むときは、好きなこと、得意なことからやってみよう

嫌いな物をしぶしぶ食べても偏食はなおらない

好きな物から食べると、美味しく感じられる

毎日、ごきげんになるために

5 徹底的に休む

★疲れているときに無理に行動してもうまくいかない。
★しっかり休むことで元気を取り戻すことができる。
★どうしてもつらいときには1週間程度休む。

休むことで仕事も人間関係もうまくいく

疲れたまま夜遅くまで残業をしても、仕事の成果は上がりません。精神的にもつらくなり、体調を崩すことにもなります。

日本映画界の巨匠の1人である黒澤明監督は、撮影時には基本的に残業をしなかったそうです。スタッフや役者が疲れていてはいい映画が撮れないと、1日の撮影時間は延ばさなかったのです。

ごきげんで毎日の生活を送るには、休むことが非常に大切です。

私自身、毎日８時間の睡眠を確保しています。とくに、新しい仕事や難しい分野の仕事に挑戦するときは、脳と体をしっかり休めてから取り組むようにしています。そうすると、穏やかな気分で進められます。

実は、恋愛や人間関係にも休むことは大きく関係しています。私は、片思いの人に告白しようと迷っている人に対して、まずはしっかり休んで疲れを取ってから告白するようにアドバイスしています。

疲れている状態でアプローチしても成功はおぼつきません。相手から思うような反応が得られなかったときに、押しが弱くなるからです。相手の表情が読み取れなかったり、疲れが表に出たりして、魅力的な人間に見えなくなってしまうのです。

思い切って1週間休んでみる

もし、気力がなくなり、動くのもつらいという状況に陥ったら、１週間程度休むべきです。

会社を休めるのであれば、休暇を取って好きなように過ごすのです。
海外に旅行に行ってもよいし、読書をしたり、音楽を聴いたりして過ごすのでもかまいません。何もしたくない場合は、ただゴロゴロしてもOK。

森田療法という心の治療法では、神経症などの入院治療の際、1週間は何もさせないといいます。何もしない1週間を過ごすことで、焦っていた自分、不安だった自分とは違う自分を体験させるのです。

何もしないで1週間を過ごしていると、不安や焦りを感じなくなり、何かしたくなってきます。不安が欲望に変わっていくわけです。

人には「動くな」と言われると、動きたくなる本能があります。その本能を呼び起こすことで、気持ちを前向きにするのです。

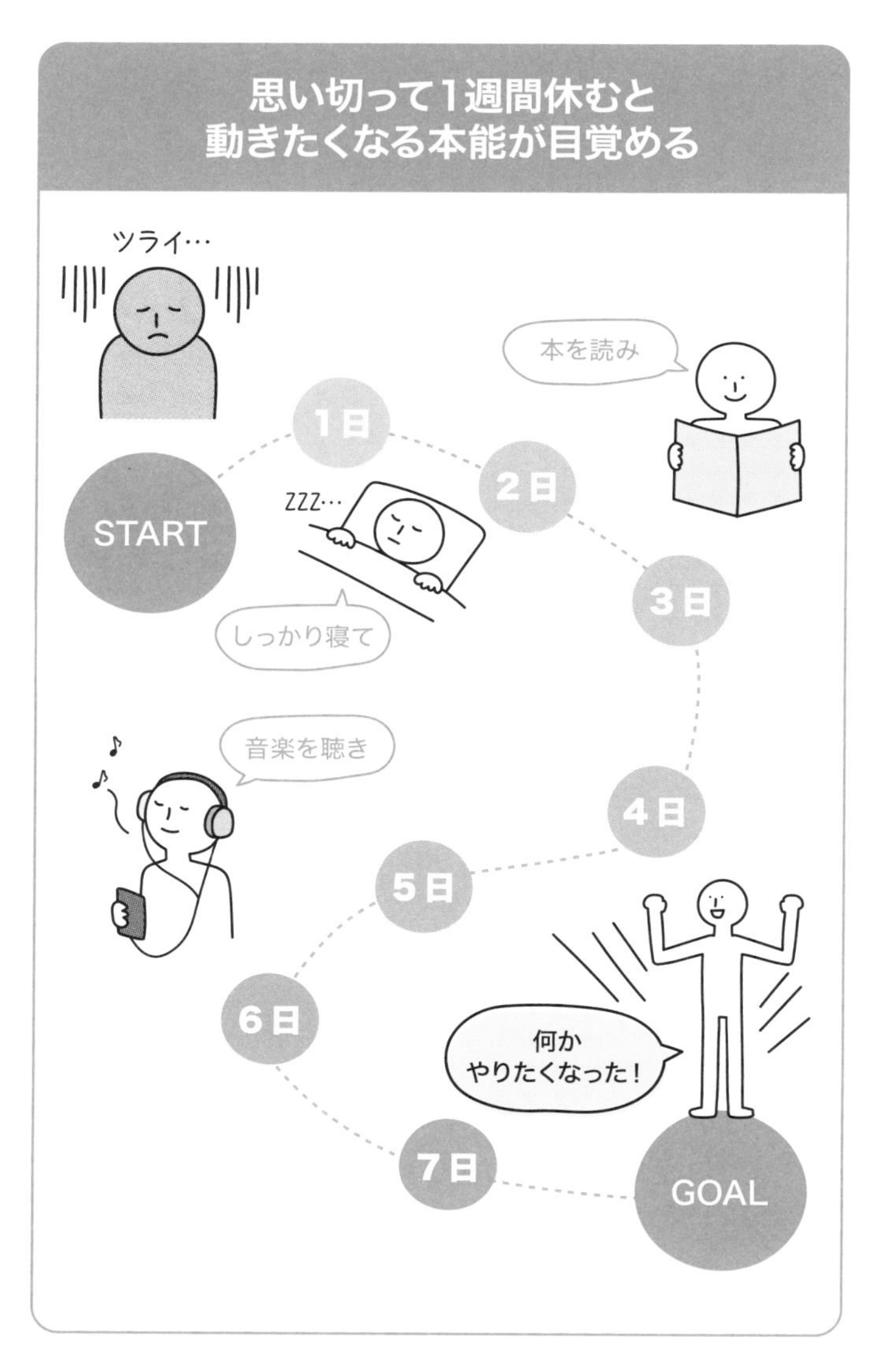
思い切って１週間休むと
動きたくなる本能が目覚める
ツライ…
本を読み
1日
2日
ZZZ…
START
3日
しっかり寝て
音楽を聴き
4日
5日
6日
何か
やりたくなった！
7日
GOAL

毎日、ごきげんになるために

6

朝のゴールデンタイムを大切に使う

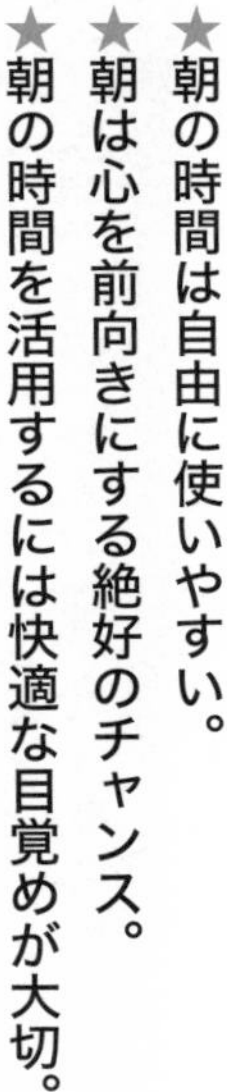
★朝の時間は自由に使いやすい。
★朝は心を前向きにする絶好のチャンス。
★朝の時間を活用するには快適な目覚めが大切。

朝の時間帯と感情の意外な関係

感情生活を穏やかにする上で、私が最も重視しているのは朝の時間帯です。

気分よく目覚めた朝は、前向きなパワーがみなぎっています。この朝の時間帯を活用して1日のスタートダッシュに成功すれば、1日中ごきげんで過ごすことができます。

多忙な財界人や経営者も、朝はゆったりと過ごしているようです。ジョギングをしたり、瞑想をしたり、呼吸法を実践したりして、1日を機嫌よく過ごす準備をしているのです。

朝の時間帯のメリットは、比較的自由がきくところにもあります。

日中は、職場や学校などで人に囲まれる生活を送っている人が多いでしょうから、自由になる時間は限られています。

夜は、心身ともに疲れていますし、夜更かしをしても翌日に響くだけ。早朝の時間帯であれば、誰にも邪魔されずに好きなことに集中できます。

私自身、年齢とともに朝の時間の魅力を知るようになりました。早起きが苦痛ではなくなってきたからです。

朝ゆったりとした時間を過ごすうちに、朝の時間が1日の気分と深く結びついているという事実に気づいたのです。

感情を整理し、心を前向きにする

朝の時間の使い方は、基本的には個人の自由です。ただ、ぜひ意識していただきたいのは、

〝感情を整える時間を作る〟ということです。

たとえ前日にイヤなことがあっても、翌朝になれば、いったんリセットできます。朝一番の時間は、まだなんの成果も出ていない、フラットで穏やかな時間だからです。

ここで、これから始まる1日について、よいイメージを持ってみましょう。イメージするだけでもいいですし、「今日も1日いい日にしよう」と口に出してみるのもおすすめです。

朝は、自分の感情を整理し、心を前向きにする絶好のチャンス。朝の時間を上手に使うには、快適な目覚めが大前提です。

夜間の深酒や寝不足などは、極力減らすようにしましょう。朝からスタートダッシュできるように、生活リズムを整えることも大切なのです。

ごきげんで過ごせるかどうかは
朝の時間しだいです。

朝からスタートダッシュに成功すれば、充実した1日が実現する

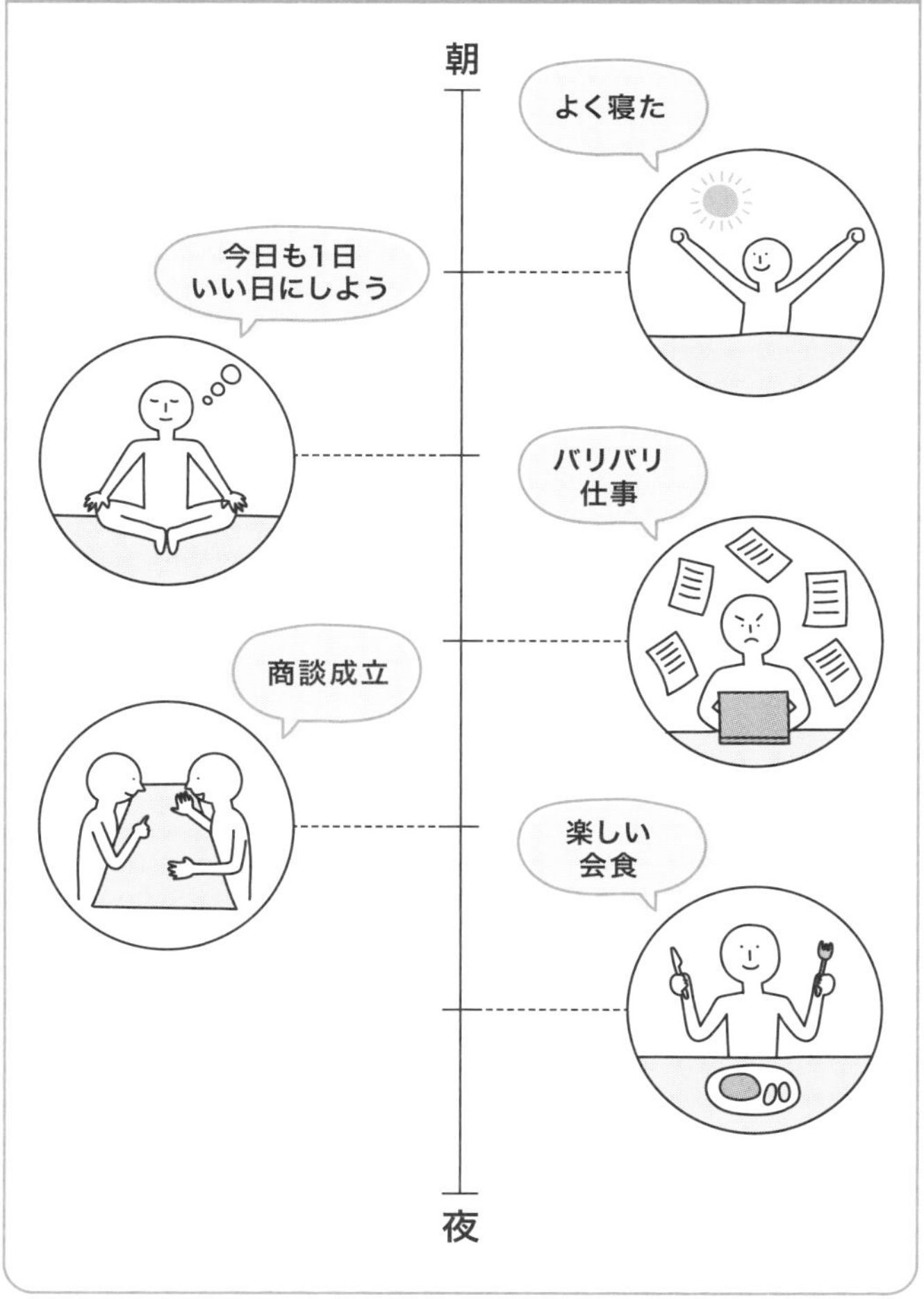

朝

よく寝た

今日も1日
いい日にしよう

バリバリ
仕事

商談成立

楽しい
会食

夜

毎日、ごきげんになるために

7

気分転換で感情を「上書き保存」する

★どんなにイヤなことでも忘れることができる。
★小さなことでもいいので、やるべきことを見つけ出す。
★TO DOに集中すればイヤな記憶が薄れる。

人間には記憶したことを忘れる習性がある

人間の脳は、新たな体験でこれまでに書き込まれたことが上書きされると考えられています。そうしなければ、インプットした膨大な情報を処理しきれないからです。

たった1日過ごすだけでも、目にすること、耳から聞くこと、手で触れたこと、食べた物、匂いをかいだ物など、実に多種多様な情報が入ってきます。

感情も1日中一定しているわけではなく、時間帯によって上下に起伏があるはずです。

そうした膨大な情報はすべて書き込まれるのですが、上書きされることで、もとあった情報が引き出しにくくなってしまうのです。

つまり、理屈からいえば、どんなにイヤなことがあっても、新しい情報が上書きされればいつの間にか思い出せなくなってしまうのです。

だからこそ、人間は精神の健康を保てているということもできます。

そうはいっても、なかなかイヤな記憶を払拭できない、ズルズルと引きずってしまう人は多いと思います。

楽しいことや嬉しいことと比較すると、イヤなことや悲しいことのほうが記憶に残りやすいものです。

なぜなら、悪いことのほうが思い出されやすいからです。ごきげんになるには、イヤな記憶がまた引き出されないように、上手に上書きをする必要があるのです。

小さなＴＯ ＤＯをたくさん準備しよう

イヤな記憶を上書きするためには、やるべきことを見つけてやっていくことです。

具体的には、なんでもいいので、紙に優先順位をつけてＴＯ ＤＯを書き出し、機械的にひとつひとつこなしていく。

そうすると、ＴＯ ＤＯに集中できるので、いつの間にかイヤな記憶が薄れていきます。

そんなにすぐにＴＯ ＤＯが見つからないという人は、自分なりの気分転換法をいくつか用意しておくとよいでしょう。

「家中の窓を開ける」「30分だけ昼寝をする」「シャワーを浴びる」「コーヒーをドリップして淹れる」「アロマをたく」「ストレッチをする」など、手軽にできる行為が最適です。

ちょっと別の行動をしただけで、不思議と気分が向上します。

TO DOをこなしていくことで、イヤな記憶を上書き保存しよう

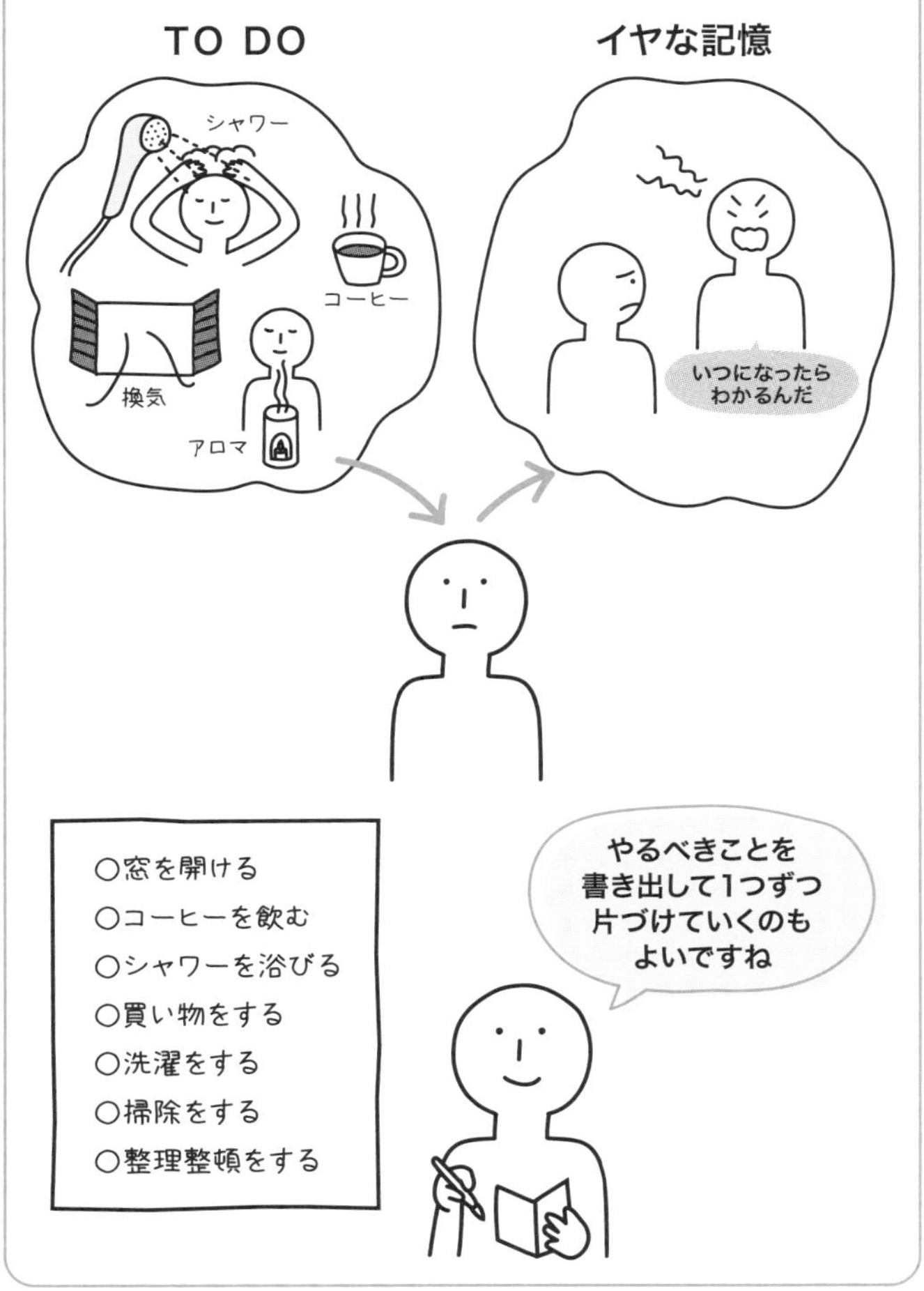

TO DO

シャワー
コーヒー
換気
アロマ

イヤな記憶

いつになったら わかるんだ

- ○窓を開ける
- ○コーヒーを飲む
- ○シャワーを浴びる
- ○買い物をする
- ○洗濯をする
- ○掃除をする
- ○整理整頓をする

やるべきことを書き出して1つずつ片づけていくのもよいですね

毎日、ごきげんになるために

8

新しいチャレンジに取り組んでみる

★同じことを繰り返していても進歩はない。
★ダメだったらすぐにやめて別の方法を探す。
★とにかく動いてみれば何かが得られる。

前例主義では何の進歩も生まれない

職場の会議などで何か意見を出すと、「成功事例はあるのか?」と聞いてくる人がいます。

要するに「前例がないと動けない」ということです。

理屈よりも過去の成功例を重視する人は、あなたの周りにも多いのではないでしょうか?

でも、そういうあなたも知らず知らずのうちに前例主義に陥ってはいないでしょうか？

「転職したいけど、うちの会社から出て行ってうまくいった人を見たことがない」

「こんな新しいプロジェクトを立ち上げたいけど、過去に似たような企画が失敗していた」

このように、前例がないという理由で躊躇した経験がある人は少なくないはずです。

同じことを繰り返していてもなんの進歩もありません。何事もやってみないことには結果はわかりません。

最初から「無理そう」と決めつけても損をするだけ。**やってみてダメだったら別の方法を考えればいい**のです。

とにかく動けば何かが得られる

あまり大それた挑戦でなくても、思いつきで行動できることはたくさんあります。

多くの人は、普段の生活の中で、いろいろなことを思いついているものです。

「いつも降りたことのない駅で降りて路地裏を歩いたら、素敵なお店を発見できるかも」

「ナイターでも見に行ったら、気分も晴れるんだろうな」

きっとこれくらいのことは頭をよぎるはずです。そこから行動に移せない人は、あれこれ悪いシミュレーションをしてしまう人です。

「でも、途中下車して何もなかったら時間のムダだな」

「ひいきのチームが負けていたらつまらないな」

こう考えて行動をストップしてしまうのです。

そういう人にお伝えしたいのは、「とにかく動くこと」。どんな結果になっても、動くことで得られることはあります。

たとえ、評判のラーメン屋さんに行ってたまたま定休日だったとしても、話のタネにできますし、別の美味しい店が見つかるかもしれません。

「とりあえずやってみる」だけで、体も心も前向きにできるのです。

やってダメなら、
やめればいいだけです。

「とにかく動くこと」で
体も心も前向きにできる

前例主義に陥っている人

とにかくやってみる人

毎日、
ごきげんに
なるために

9

機嫌のいい人の真似をする

★ムードメーカーがチームの雰囲気を決定づける。
★機嫌のいい人と一緒にいると、いつの間にか感化される。
★機嫌のいい人に近づき、どんどん真似をしよう。

グループの雰囲気を決める人

職場のチームであっても、趣味のサークルであっても、「幸福なグループ」と「不幸なグループ」があると思います。

職場の「幸福なグループ」には、なぜか大きな仕事が舞い込んできます。みんなで協力して大きな仕事を乗り越え、成果を出し続けます。

もちろんすべてがうまくいくわけではありません。ときには失敗することもあります。けれども、彼らは失敗した仕事の中からも、次につながる改善のヒントを見つけ出します。そして次のチャンスでは反省点を生かし、結果を出します。結果的に、満足感を持って仕事に取り組んでいるのです。

一方で、「不幸なグループ」は、何もかも失敗するわけではありませんが、どこか達成感に乏しいという問題を抱えています。

仕事がそれなりにうまくいっても、上司への不満や同僚への不満などが残ります。達成感を共有できるような雰囲気になっていないのです。

２つのグループの違いは、グループの中心となる人物の違いと大きく関わっています。いわゆる〝ムードメーカー〟と呼ばれる人の感情が、グループ全体にじわじわと広がり、全体の雰囲気を決定づけるのです。

機嫌のいい人に近づき、真似をする

ムードメーカー（＝機嫌のいい人）と一緒にいると、いつの間にか自分も感化され、前向きに物事をとらえるようになります。どんなときにも明るさを失わず、成長を目指して努力する姿勢が身についてきます。

結果的に、知らず知らずのうちに幸運がもたらされるというわけです。

機嫌のいい人にあやかりたいのであれば、まず積極的に機嫌のいい人に近づくことです。近づくだけでなく、できればその行動を観察し、自分にも真似できるところはどんどん真似していくべきです。

自分の「美学」や「こだわり」を持っている人は、即刻捨ててしまいましょう。優秀な人ほど、自分のスタンスにこだわりを持っていません。素直に人の真似をしているのです。

年齢もキャリアも関係ありません。自分より優れてごきげんだと思う人がいたら、まずは真似をしてみましょう。

ごきげんでいるだけで
幸運がもたらされます。

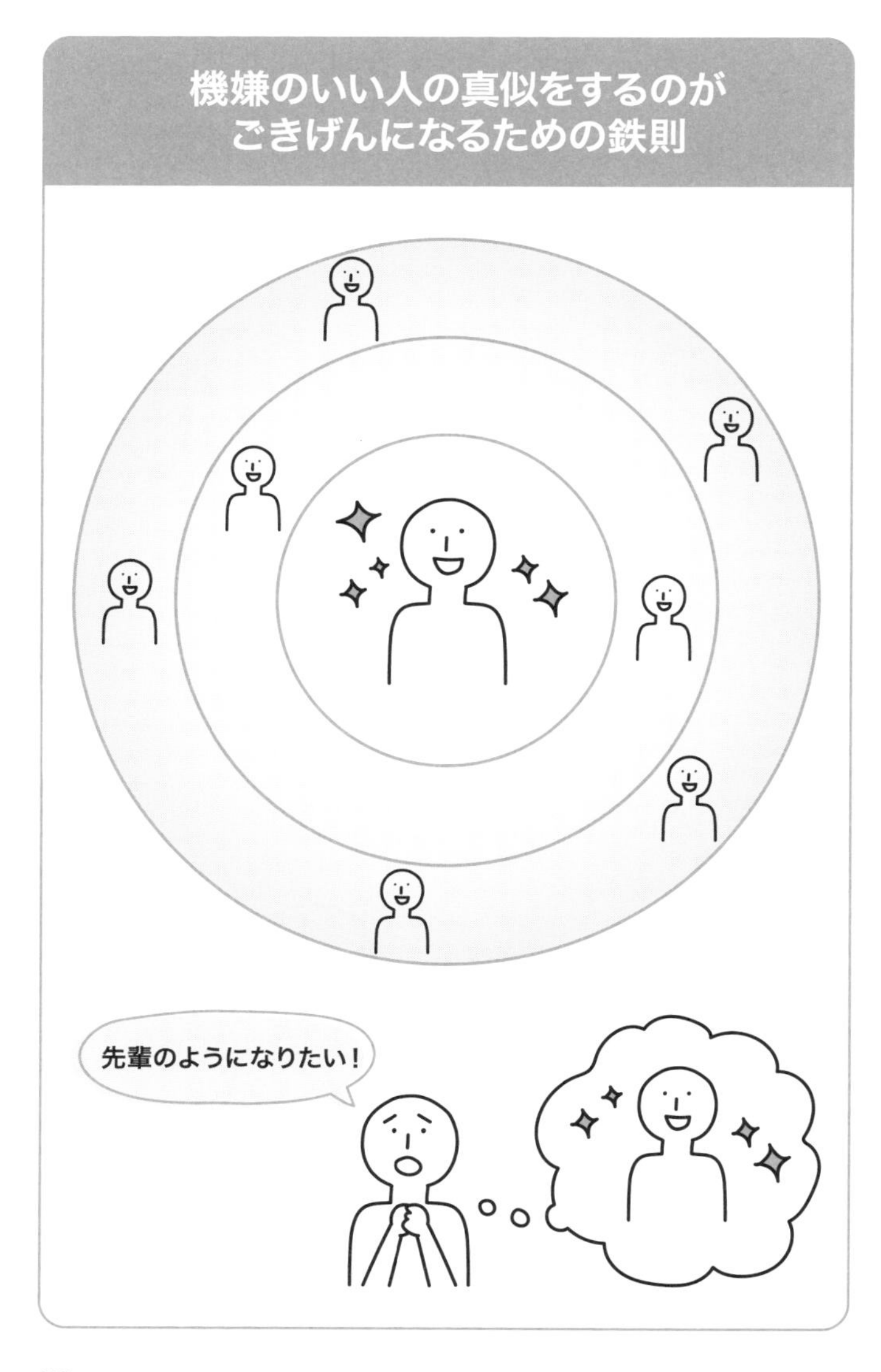
機嫌のいい人の真似をするのが
ごきげんになるための鉄則
先輩のようになりたい！

気持ちの整理のドリル❹

問題1 不機嫌にならないための態度はどっち？

A 自分が間違っていないときには絶対に頭を下げない

B 自分が間違っていなくても頭を下げることができる

問題2 いつも以上の力を出すには？

A 好きなことから着手する

B 嫌いなことから片付ける

答え

問題1 B （→148ページ）

問題2 A （→152ページ）

問題3 片思いの人に告白するとき、うまくいくのは？

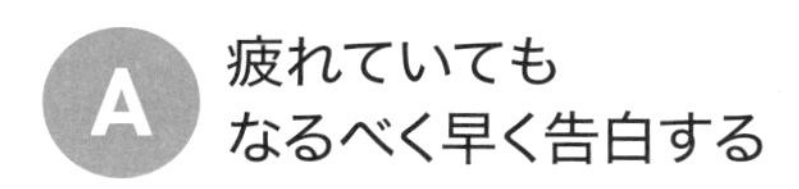

A 疲れていても
なるべく早く告白する

B しっかり休んで
疲れを取ってから
告白する

問題4 自分の感情を整えるのに よい時間の使い方は？

A 朝の時間を
利用する

B 夜更かしをして
一日を振り返る

答え
問題3 B（→156ページ）
問題4 A（→160ページ）

問題5 イヤな出来事を忘れるために有効なのは？

A イヤな出来事を細かく書き留めることで、脳から追い出す

B やるべきことを見つけ出して優先順位の高いものからやっていく

問題6 機嫌のよい人にあやかるための方法は？

A 機嫌のよい人に近づき、その人の真似をする

B 機嫌のよい人にあやかれるように神に祈る

答え 問題5 B （→164ページ） 問題6 A （→172ページ）

付章

今すぐ、気分が変わる！
和田式・
気持ちの整理術

気持ちの
整理術
1

7秒間、深呼吸をする

イライラしているときの脳は、酸素が不足していて窒息状態にあります。そこで、脳に酸素を送ることを意識してみましょう。

具体的には7秒間の深呼吸をします。窓を開けるか、ベランダに出るなどして、外の新鮮な空気を思い切り吸い込みましょう。

脳に新鮮な酸素が送られるのをイメージするのも有効です。そして、息を吐き出すときにはイライラした感情を一緒に吐き出す要領で行います。

イライラ感を吐き出して
スッキリしましょう。

イライラを吐き出す呼吸法

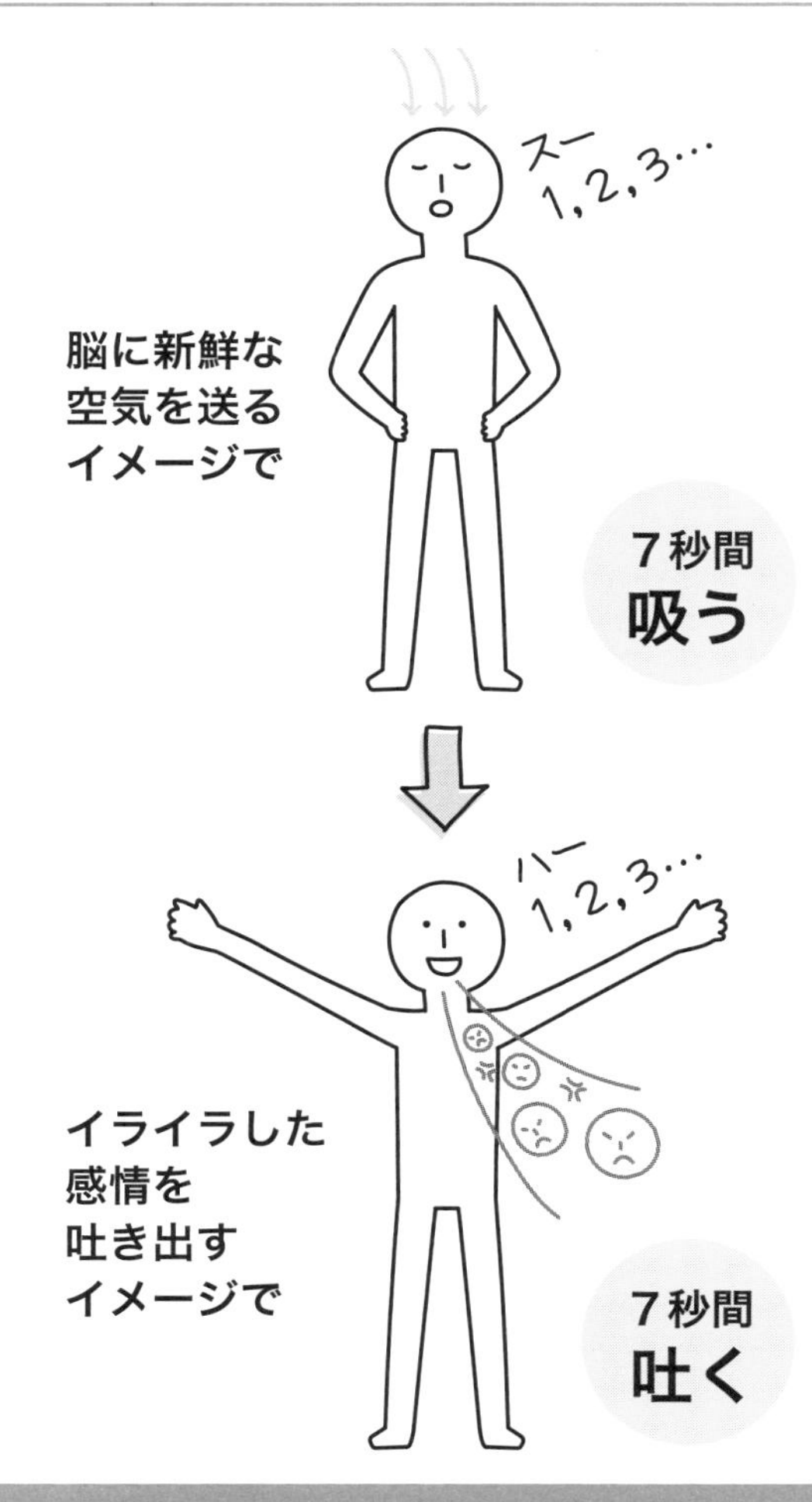

深呼吸でリフレッシュ！

気持ちの整理術

2

自分の行動と気分をノートに書く

ノートを用意して、自分の1日の行動と気分を細かく書き留めてみましょう。

「朝は何時に起きたのか？　気持ちよく起きたか？」

「朝食は何を食べたのか？　美味しかったか？」

「午前中はどんな仕事をしたのか。はかどったのか？」……。


1週間記録したあとに、ノートをチェックしてみましょう。どんなときに自分はごきげんになるのか、不機嫌になるのかという傾向が見えてきます。そうしたら、ごきげんになるための行動を増やしていけばよいのです。

行動と気分を記録することでごきげんになる行動が見えてきます。

自分のごきげんポイントをチェック

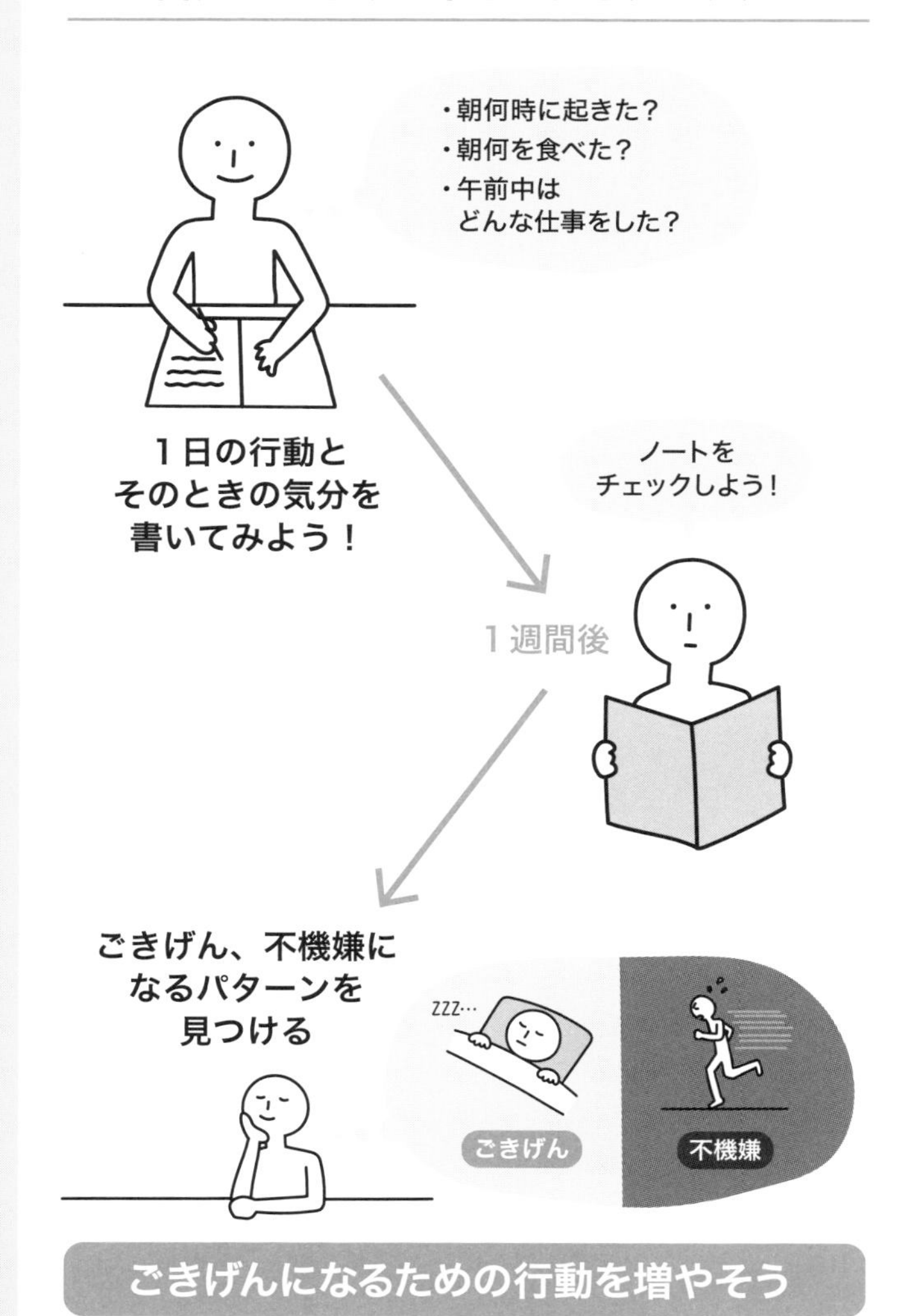

ごきげんになるための行動を増やそう

気持ちの整理術
3

他人のことを褒める

他人の悪口を言う人は自分に自信がない人です。他人を批判することで、自分のほうが優れていると思いたいのです。

ごきげんな人は、他人のことを積極的に褒めます。心に余裕があるから他人を褒められるのです。

居酒屋などで同僚と上司の批判をする暇があったら、お互いに褒め合えるような人を見つけましょう。褒め合うことで、お互いに成長できます。仕事でも成功するので、他人を褒める心の余裕がさらに生まれるのです。

悪口を言うのではなく
褒める癖をつけましょう。

積極的に褒めてみよう

自分に自信がないから、他人の悪口を言う

心に余裕があるから他人を褒められる

褒め合うことで、お互いに成長しよう

気持ちの
整理術
4

髪型や服装を変えてみる

髪型や服装などを変えるだけで、何かが変わります。不思議と自分に自信がついたり、今までやらなかったことを「やってみよう」と思えたりするものです。

髪をバッサリと切る、逆に髪を伸ばしてみる、思い切りラフな服装をしてみる、思い切りビシッとしたスーツで全身をきめる、メイクを変える、アクセサリーをつける、など変える方法はさまざまです。

見た目が変わると、周りからの反応も変わります。気分を変えるきっかけになるのです。

見た目を変えれば
気分が変わります。

イメチェンをしてみよう

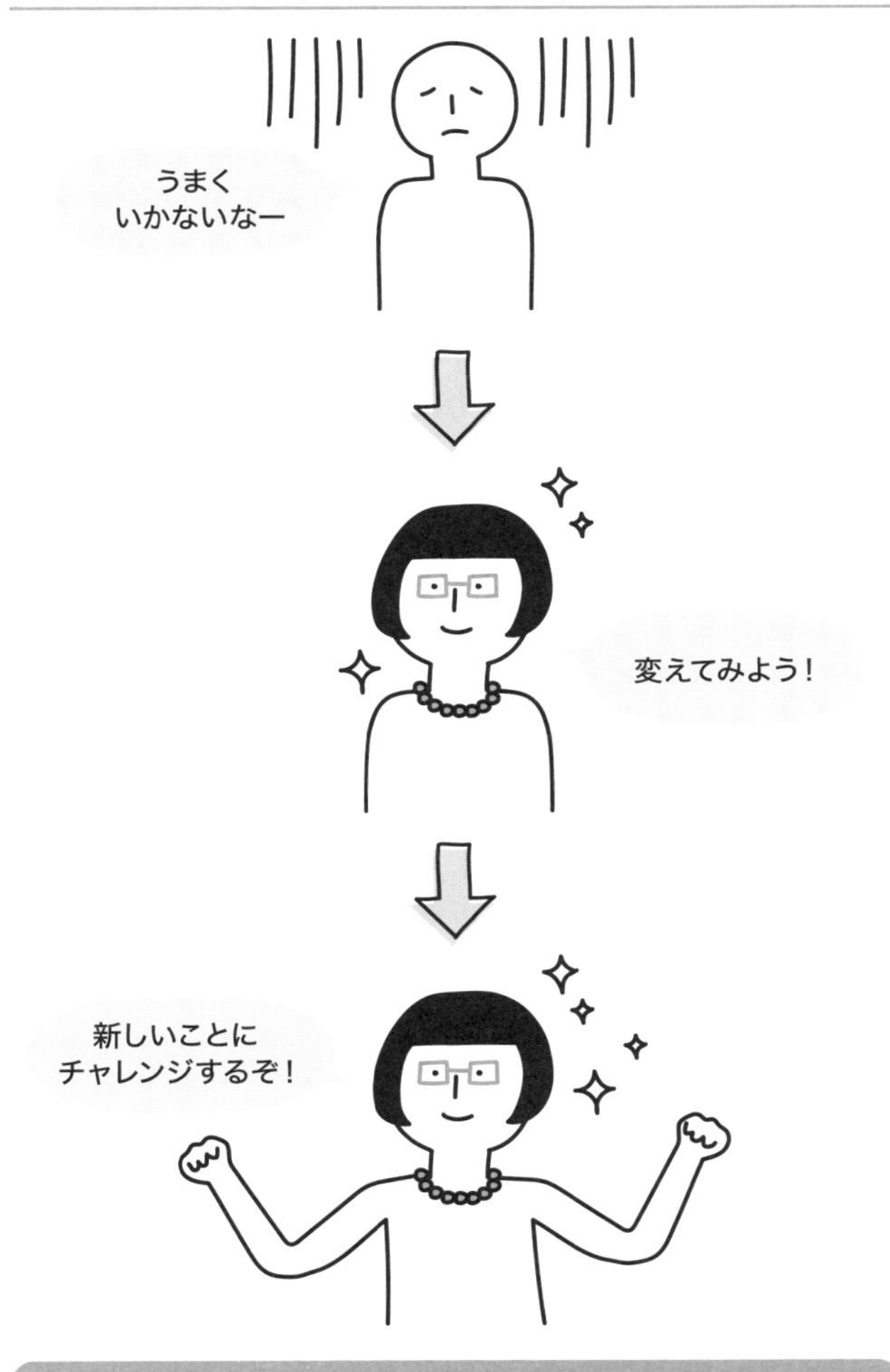

髪型や服装が変わると気分も変わる

気持ちの整理術 5

スイーツを食べる

甘い物を食べると血糖値が上がり、満足感を覚えたり、元気になったりする効果があります。胃を刺激することで、副交感神経が働き、イライラを抑える効果もあります。

食べている間は食べている行為に意識が向くので、気持ちを落ち着かせることもできます。心が不機嫌だったときも、いったんフラットな状態に戻せるのです。

さらに、冷たいアイスやシャーベットを口にすれば、感情をクールダウンすることにもつながります。

甘いものを食べることで元気がみなぎります。

スイーツがもたらすたくさんのメリット

副交感神経が働く	食べることに集中	血糖値が上がる
↓	↓	↓

イライラを抑える	気持ちがフラットな状態になる	満足感を覚え元気になる

不機嫌なときは甘いものがオススメ

気持ちの整理術
6

節目のイベントを大切にする

生活の中でのさまざまな節目のイベントを大切にしましょう。配偶者や子どもの誕生日、結婚記念日、お正月やクリスマスなどをみんなで楽しむのです。入学式や卒業式、就職や転職、異動や昇進なども人生においては重要な節目です。このような節目のタイミングを重視することで、生活にリズムが生まれます。

節目をきっかけに意識を改めることで気分が変わり、マイペースでごきげんに過ごすことができるのです。

大人だからこそ節目のイベントを大切にしましょう。

節目のイベントを意識する

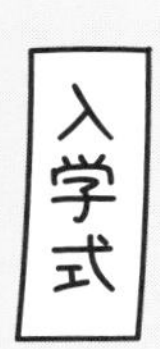

本日入社しました。
お願いします。

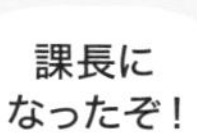

節目を大切にして生活リズムを作ろう

気持ちの
整理術
7

丁寧に受け答えをする

誰に対しても丁寧に誠実に受け答えをしている人は、トラブルに巻き込まれることが少ないため、不機嫌になるリスクがほとんどありません。

最もよくないのがあいまいな受け答えです。仕事を依頼されたら、やるかやらないか、いつまでにやるのか、どのように進めるのかをはっきりさせる。

このように丁寧な受け答えを習慣づけることで、周囲からも信頼され、ごきげんな自分でいられるのです。

あいまいな返事をせず、丁寧に
ハキハキとした返事が理想です。

受け答えを丁寧にハッキリと

丁寧な受け答えでトラブルは回避できる

気持ちの整理術

8

座右の書を持つ

座右の書は、不安に押しつぶされそうな自分を支え、落ち込んで身動きが取れなくなった自分を励ましてくれます。

座右の書を読んでいるうちに、いつの間にか頭の中からイヤなことは消えていきます。

ビジネスマンであれば、城山三郎さんや藤沢周平さんなどの作品に登場する人物に自分を重ね合わせて、しみじみ共感したり、心を鼓舞したりできるはずです。ぜひ自分にぴったりの1冊を探してみましょう。

座右の書に正解はありません。
自分なりの1冊を見つけましょう。

自分の気持ちを鼓舞する方法
不安に
押しつぶされそうなとき
落ち込んで
身動きが取れないとき
そんなときは
座右の書を読もう！
自分も
がんばるぞ！
座右の書は自分を励ましてくれる応援団

気持ちの整理術

9

状況をレポートする

不機嫌になったときには、自分の感情を客観的にレポートしてみましょう。「ああ、いつものように子どもが散らかしたのを見て怒りの気持ちがわいている。子どもを怒鳴りつけようとしている……」という具合です。

自分を客観的に見る態度を心理学では「メタ認知」といいます。自分を俯瞰して見ているようなイメージです。こうした視点を持つことで、自分の怒りとも冷静に距離を取ることができます。

自分を見つめるもう1人の自分を持ちましょう。

自分の感情を客観的に見る

怒りの気持ちがわいたら

自分をレポートして落ち着きを取り戻そう

気持ちの
整理術
10

「ありがとう」と言う

部下が自分から率先して動いてくれない、子どもが言うことを聞いてくれない……。

このように、他人に対してついカッとなってしまうときに効果を発揮する言葉が「ありがとう」という感謝の言葉です。

まずは自分から「ありがとう」と言ってください。ウソでもいいので「ありがとう」と口にしてしまうのです。

感謝の言葉を先に伝えることで、相手の反応が変わり、不思議とイライラが解消されます。

「ありがとう」という言葉が状況を変えることがあります。

ウソでもいいから「ありがとう」と言ってみる

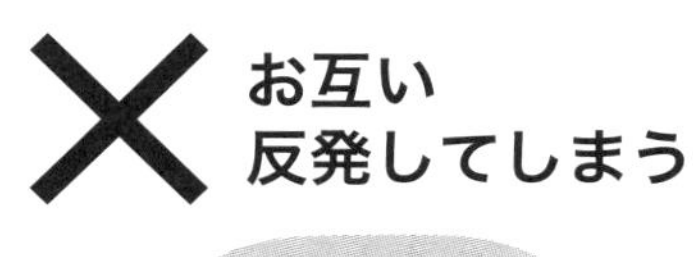

**「ありがとう」と
言ってみる**

感謝の言葉で相手の反応が変わる

気持ちの
整理術
11

代替案を用意しておく

「自分にはこれしかない」と思い詰めていると、仮にそれがうまくいかなかったときに、平常心を失い、いつまでも立ち往生することになりかねません。

そこで、あらかじめ「こんな方法もある」と代替案を用意しておくことが大切です。

「この会社に転職できなかったら、この会社にするのもよい」

「結婚できなかったら、1人用のマンションを買うのも1つの選択肢だ」

などと代替案を考えることで、精神的にも安定が得られます。

心に余裕を持つためにも
代替案を常に持っておきましょう。

1つの方法に固執しない

代替案がない場合

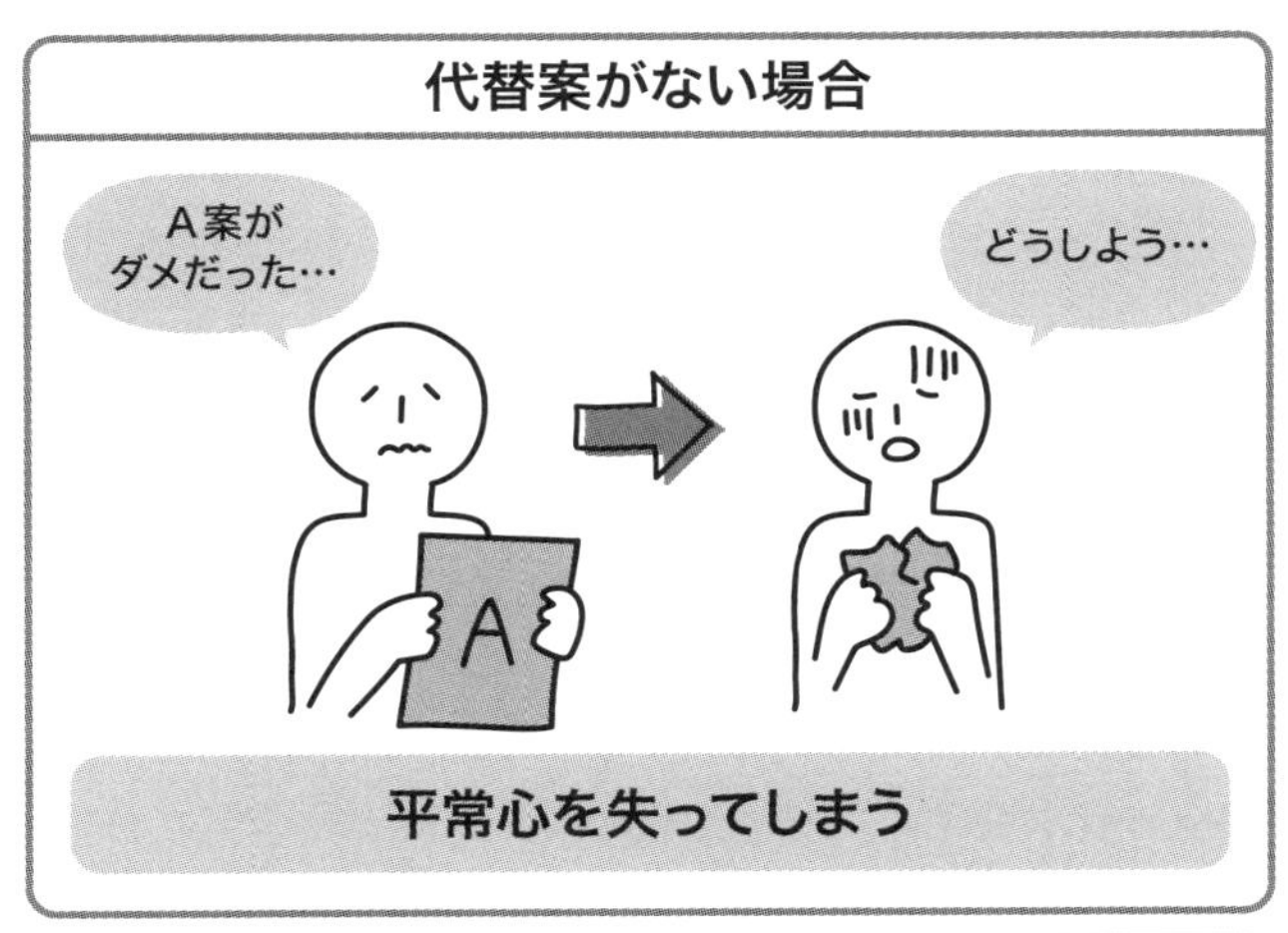

平常心を失ってしまう

代替案がある場合

精神的に安定する

代替案を持てば心に余裕が生まれる

気持ちの
整理術
12

開き直る

どうしてもうまくいかないとき、自分を責めすぎると気持ちが落ち込み、どんどんつらくなってきます。

そんなときには、思い切って開き直るのもひとつの手です。開き直るということは、今の自分を肯定することです。

たとえば出世できないという状況に直面したとき「現状でいい、これでいいんだ」と自分を肯定することで、「趣味に力を注ごう」「家族との時間を大切にしよう」という新たな方向性が見えてきます。

ウジウジ落ち込むよりも開き直ったほうがいいときもあるのです。

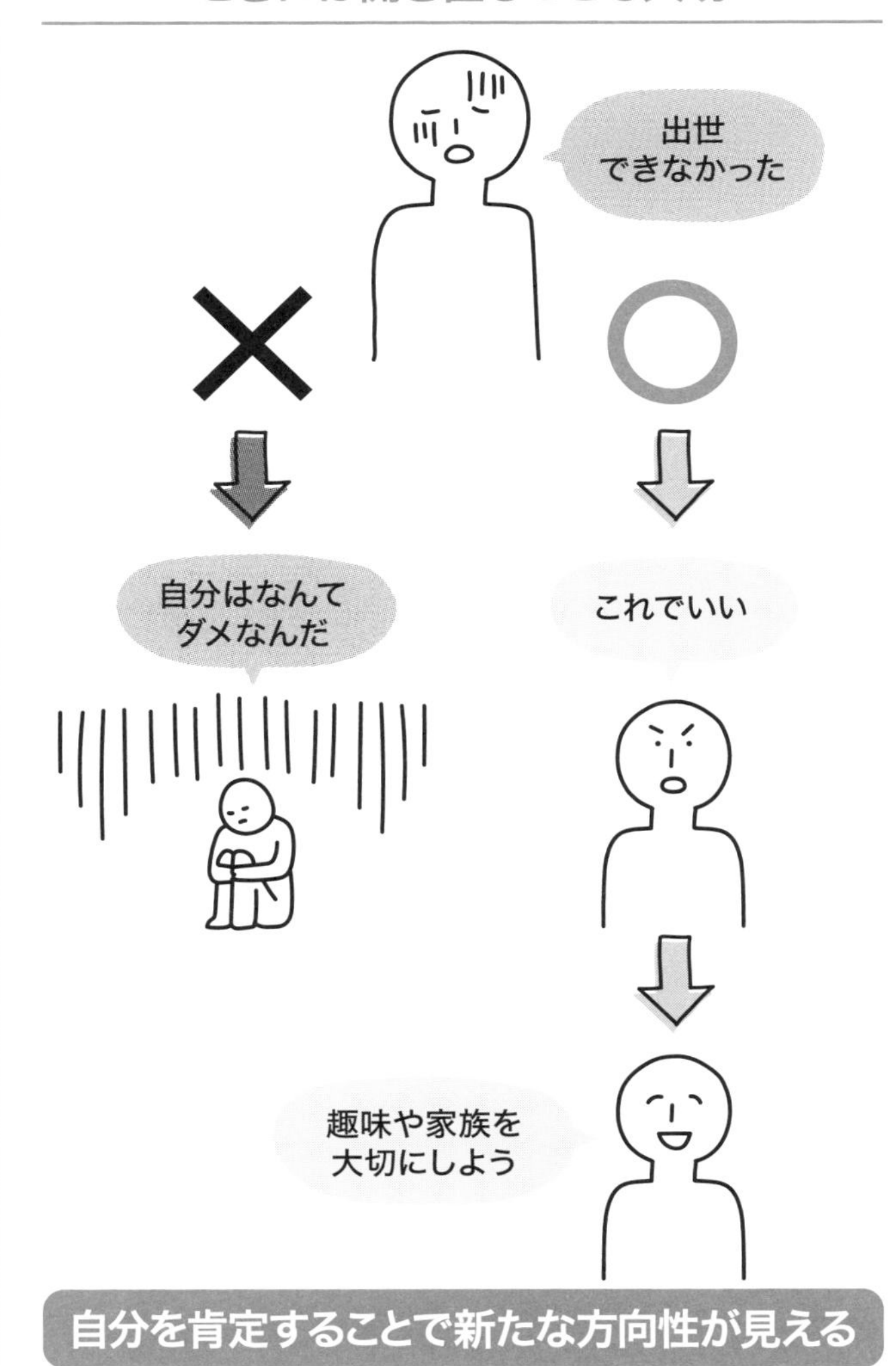
ときには開き直ることも大切
出世
できなかった
自分はなんて
ダメなんだ
これでいい
趣味や家族を
大切にしよう
自分を肯定することで新たな方向性が見える

気持ちの
整理術
13

プライベートな予定から決める

毎日残業続きでストレスを抱えている。

感情がすり減ってごきげんどころではない。

そんな人は、生活のサイクルから変えていくことが大切です。友だちとの会食の予定や習い事に通う予定など、プライベートな予定を仕事に優先して手帳に書き込むのです。

慣れるまでは苦しいかもしれませんが、しだいに生活のリズムに変化が生まれます。

プライベートでリフレッシュすることで、ごきげんで毎日を過ごせるようになります。


プライベートでリフレッシュすることで仕事にも好影響を与えます。

プライベートを「先に」予定する

プライベートな
予定を
先に決める

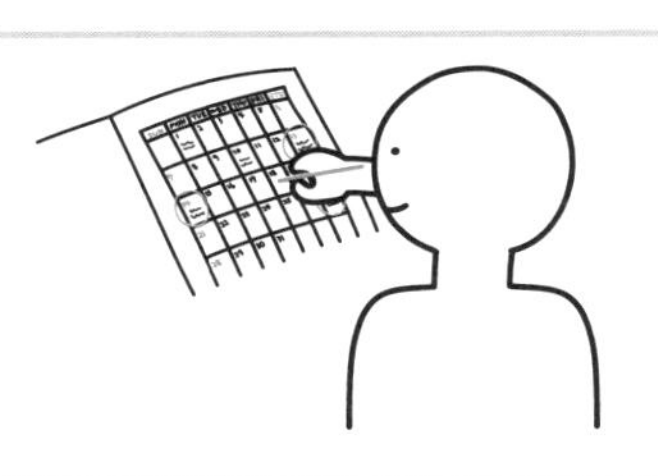

予定に
間に合わせようと
仕事をがんばる

ごきげんで
毎日を過ごせる

プライベートでリフレッシュしよう

気持ちの
整理術
14

紙に書き出してみる

鉄鋼王カーネギーは、仕事や私生活でたくさんの悩みを抱えたとき、「自分はどれほど悩みを抱えているんだろう」と思い、紙にひとつひとつ書き出してみたそうです。すると、60個くらいで手が止まり、「もうこれ以上悩みはない」と思ったそうです。

私たちが悩んでいるときも、紙に書き出してみればせいぜい10個程度に集約できるはず。自分の現状を整理することができますし、1個1個の対処法を考えることもできます。

悩みも書き出してみると、
思ったより少ないと気づきます。

悩みをたくさん抱え込んだら？

悩み事が
多いなー

○Aさんとケンカ中

○Bの案件が
終わらない

○子どもが言うことを
きかない

○体重が5キロ
増えた

悩みを書き出すことで現状を整理できる

気持ちの整理術
15

物事のプラス面を見る

何かの物事を判断するとき、プラス面に着目してそこから見るように意識しましょう。たとえば自分が心配症だったとき。自分のマイナス面を見て自己否定するのではなく、プラス面を見ます。

「自分は細かなところまで気がつくタイプだ」「慎重に物事を運ぶことができる」などと考えれば、自分を否定することがなくなり、気分が落ち込みにくくなります。これは他人を見るときにも同じです。

自分も他人も、マイナス面ではなくプラス面から見てみましょう。

よいところに目を向けよう

○ プラス面を見る	× マイナス面を見る
細かいところに気づく	心配性だ
理論的に考えられる	理屈っぽい
真面目だ	ユーモアがない

プラス面を見ると
前向きになれそう

プラス面に着目すれば落ち込みにくくなる

気持ちの整理術

16

自分のルールを優先する

職場などでは「上司よりも先に帰ってはいけない」といった暗黙のルールが存在します。

しかし、暗黙のルールは絶対的に正しいものではありません。世間の一般常識とずれていることもありますし、組織のトップが変わったり、時間が経ったりすると変わることもあります。

ですから、暗黙のルールは「ほどほどに守る」というくらいで大丈夫です。ときには自分のルールを優先してもよいのです。

どんな環境にも適応できるよう自分のルールを確立しましょう。

ときにはマイルールを優先する

▶マイルール❶ お酒は飲まない

▶マイルール❷ なるべく早く帰る

▶マイルール❸ 映画は1人で見る

暗黙のルールはほどほどに守ればOK

気持ちの整理術

17

自分が当事者になったときのことを想像する

誰かにイライラした感情を持ったときは、自分がその立場に立ったときのことを想像してみましょう。

たとえば、「生活保護を受けるのは甘えだ」と考えたとき。自分が大病をして失業してしまった状況を想像してみるのです。

どんな人にも、事故や病気などで働けなくなるリスクはあります。当事者の立場を想像することで、さまざまなことに気づけるはずです。普段から他人の気持ちを想像すれば、感情を冷静に保てます。

想像力を働かせることで、感情を冷静に保ちましょう。

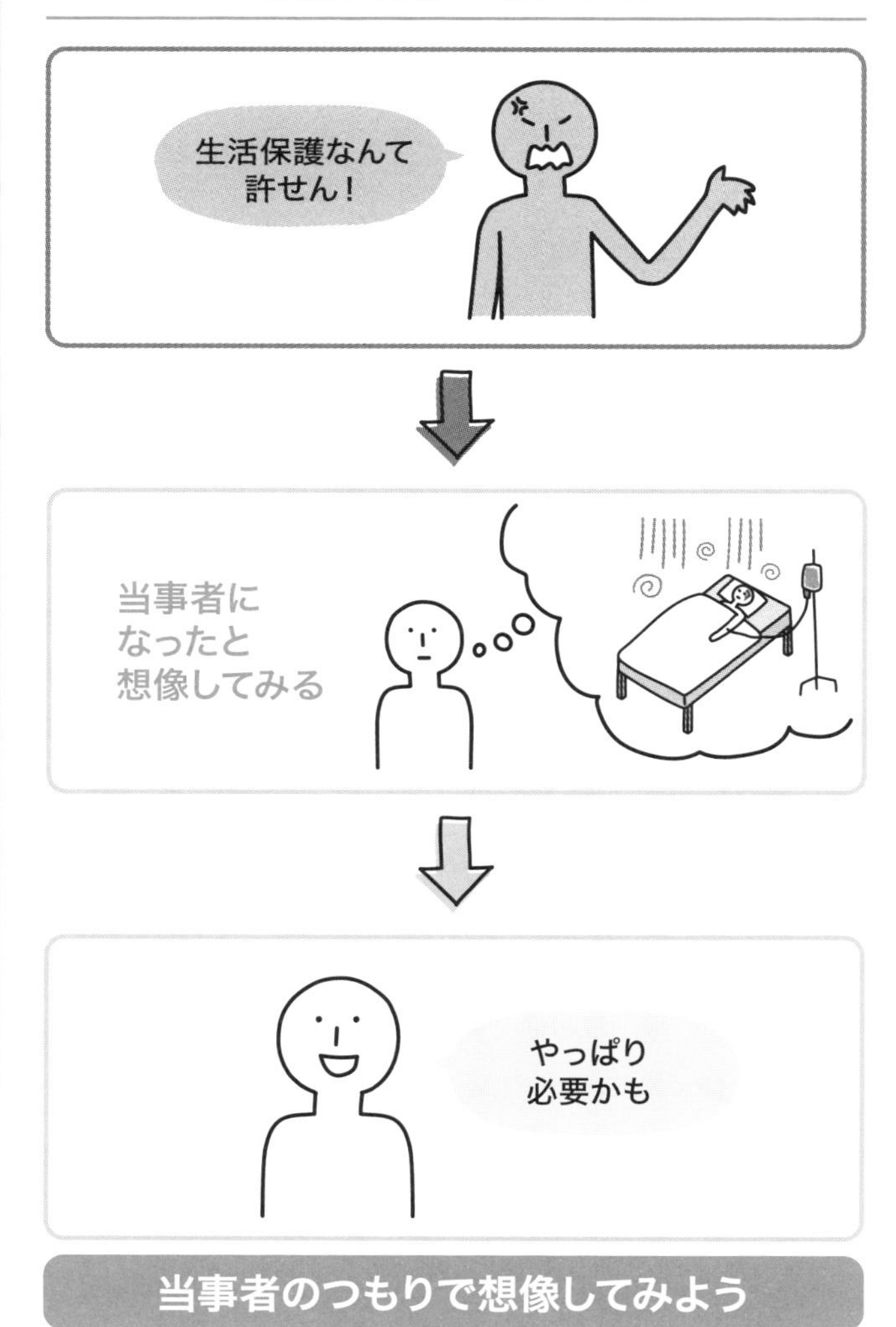
感情を冷静に保つには
生活保護なんて
許せん！
当事者に
なったと
想像してみる
やっぱり
必要かも
当事者のつもりで想像してみよう

おわりに

生きていくことには、いろいろな困難があります。感情というのは自然に発生するものなので、それが起こることを止めることはできません。

でも、本書を読んでわかっていただけたと信じていますが、どんなものにでも、それに対処するテクニックがあるというのが私の信念です。

記憶にしても、勉強にしても、仕事にしても、自己流でやっていくより、ある程度、テクニックを学んでから、それをやったほうが、うまくいくことが多いのです。

感情がわいてくることは仕方なくても、心や脳のメカニズムを知り、それに対処するテクニックを知っておけば、感情に振り回されて不適応な行動を取ってしまったり、感情に苦しめられるリスクははるかに小さくなるはずです。

もちろん感情も、感情の生じ方のパターンも、個人差がありますから、すべての人にうまくいく感情のコントロール法はないかもしれません。

そういう意味では、自分で自分の感情コントロール法を見つけた人もたくさんいるでしょうし、その人にとっては、それがベストの方法かもしれません。

ただ、なかなかそういう方法が見つからない人にとっては、やはり本書のようなテクニック書を読んで、ヒントをつかんだり、あるいは、そのまま試してみて、自分に「使える」テクニックを見出したほうが、それをしないより、はるかに感情のコントロールはうまくなるはずです。

そう考えて、本書を絶対のマニュアルというより、感情のコントロールをつかむためのヒント集として活用してほしいのです。

少なくとも、自分の感情をやたらに恐れるより、本書に書かれているさまざまなテクニックをあれこれと試してみるほうが、はるかに建設的でしょうし、1つでもうまくいけば、それが、これから生きていく上でも大きな自信になるはずです。

私は、以前、伸び悩んでいる受験生に「受験は要領」ということでテクニックの大切さを説きました。同じ意味で、「感情も要領」なのだということをお伝えしたいと思います。

感情的にならない気持ちの整理術（ハンディ版）

発行日　2017年　1月　25日　第1刷
　　　　2024年　10月　21日　第35刷

Author　和田秀樹

Illustrator　[マンガ]横ヨウコ
Book Designer　[Cover]小口翔平(tobufune)
[本文・DTP/イラスト]伊延あづさ　佐藤純（アスラン編集スタジオ）

Publication　株式会社ディスカヴァー・トゥエンティワン
〒102-0093　東京都千代田区平河町2-16-1 平河町森タワー11F
TEL　03-3237-8321（代表）　03-3237-8345（営業）
FAX　03-3237-8323
https://d21.co.jp/

Publisher　谷口奈緒美
Editor　原典宏
編集協力：渡辺稔大　青木啓輔（アスラン編集スタジオ）

Store Sales Company　佐藤昌幸　蛯原昇　古矢薫　磯部隆　北野風生　松ノ下直輝
山田諭志　鈴木雄大　小山怜那　町田加奈子

Online Store Company　飯田智樹　庄司知世　杉田彰子　森谷真一　青木翔平　阿知波淳平
井筒浩　大﨑双葉　近江花渚　副島杏南　徳間凜太郎　廣内悠理
三輪真也　八木眸　古川菜津子　斎藤悠人　高原未来子　千葉潤子
藤井多穂子　金野美穂　松浦麻恵

Publishing Company　大山聡子　大竹朝子　藤田浩芳　三谷祐一　千葉正幸　中島俊平
伊東佑真　榎本明日香　大田原恵美　小石亜季　舘瑞恵　西川なつか
野﨑竜海　野中保奈美　野村美空　橋本莉奈　林秀樹　原典宏
牧野類　村尾純司　元木優子　安永姫菜　浅野目七重
厚見アレックス太郎　神日登美　小林亜由美　陳玟萱　波塚みなみ
林佳菜

Digital Solution Company　小野航平　馮東平　宇賀神実　津野主揮　林秀規

Headquarters　川島理　小関勝則　大星多聞　田中亜紀　山中麻吏　井上竜之介
奥田千晶　小田木もも　佐藤淳基　福永友紀　俵敬子　池田望
石橋佐知子　伊藤香　伊藤由美　鈴木洋子　福田章平　藤井かおり
丸山香織

Proofreader　文字工房燦光
Printing　シナノ印刷株式会社

・定価はカバーに表示してあります。本書の無断転載・複写は、著作権法上での例外を除き禁じられています。インターネット、モバイル等の電子メディアにおける無断転載ならびに第三者によるスキャンやデジタル化もこれに準じます。
・乱丁・落丁本はお取り替えいたしますので、小社「不良品交換係」まで着払いにてお送りください。
・本書へのご意見ご感想は下記からご送信いただけます。

https://d21.co.jp/inquiry/

©Hideki Wada, 2017, Printed in Japan.